시로 국어 공부

문법편

문장을 품격 있게

시로 국어 공부

문법편

남영신 지음

마리북스

머리말

시가 사람들에게 주는 영향은 참 다양합니다. 어떤 이는 한 줄의 글자와 공백으로 구성되는 시구 속에서 인간 삶의 의미를 찾는데, 또 어떤 이는 그 속에서 영혼의 음악 소리를 음미합니다. 그런데 나는 어쩐 일인지 시구 속에서 아우성 같은 외침을 듣습니다. 그 외침이 때로는 피맺힌 절규로 와닿기도 하고, 때로는 지극히 간절한 탄식처럼 들리기도 합니다.

나에게 시는 아름다움보다는 외로움이나 슬픔에 더 가까웠습니다. 그래서인지 몰라도 내게 시는 한 편의 잘 짜인 각본이어야 했고, 빈틈없이 펼쳐지는 파노라마여야 했습니다. 그래서 조금이라도 흠이나 어긋남이 있다고 생각하면 괴로워하지 않고는 배기지 못한 것 같습니다. 나는 왜 그런 시 읽기에 천착했는지 모르겠습니다. 그것은 나의 성향이라고 치부하고 말 사소함에 지나지 않은 것이었습니다만, 그 사소함이 속병처럼 오래 지속되다 보니 그것이 놀랍게도 반짝이는 빛을 내뿜는 것이 보였습니다. 이 책은 그 깨달음의 결과물인 셈입니다.

이 책은 시를 읽으면서 국어 공부를 할 수 있도록 해 보자는 취지로 만들었습니다. 하나의 문법서이면서 시를 문법적으로 감상하는 길잡이 구실을 하도록 했습니다. 이 책을 읽는 분이 모두 시를 나처럼 읽는 것에 공감하지는 않을지 모르지만, 그래도 어떤 분에게는 국어를 배우고 익히는 데 시 읽기가 퍽 유용한 길이 되어 주리라고 믿습니다. 잘 짜인 각본 같은 시를 읽는 기쁨, 파노라마처럼 펼쳐진 시를 읽는 상쾌함은 일종의 발견이라고 할 만한 기쁨을 우리에게 선사합니다. 여러분도 이 책을 읽으면서 그런 발견을 할 수 있을 것입니다.

《시로 국어 공부》는 세 권으로 구성됩니다. 제1권은 문법편으로, 문법의 기본 개념을 개괄하는 내용으로 되어 있습니다. 형태소, 단어, 구, 절, 품사, 문장 성분, 문장 종류 등을 설명하고 있습니다. 제2권은 조사·어미편으로, 문법의 가장 기본인 조사와 어미의 종류, 기능 등을 설명하고 개별 조사와 어미의 사용법을 제시합니다. 제3권은 표현편으로, 유익한 단어나 시인들이 많이 사용해 주기를 바라는 단어, 국어에서 자주 사용되는 문법적 관용구, 시에 많이 쓰이는 수사법 등을 실었습니다. 모든 설명은 시를 감상하면서 문법을 익히고 활용할 수 있도록 했습니다. 시 감상과 문법 공부라는 상당히 이질적인 두 가지 일을 동시에 해 보자! 이런 발상이 참신하다는 평가로 이어지길 바라는 마음이 간절합니다.

이 책에 실린 대부분의 시는 모두 저작권자의 사용 승인을 받은 것임을 알려 드립니다. 특히 이 책의 의미를 이해하시고 흔쾌히 사용할 수 있게 은혜를 베풀어 주신 많은 분께 이 자리를 빌려 깊은 감사의 말씀을 드립니다. 몇 편의 시는 저작권자를 찾지 못해서 일단 싣고 뒤에라도 저작권자가 나타나면 합당한 논의를 진행하고자 합니다. 소중한 시를 사용할 수 있게 허락해 주신 모든 분께 거듭 감사의 말씀을 드립니다.

요즘 한국어가 세계인의 언어로 발돋움하고 있습니다. 이 책이 국내외에서 한국어를 공부하는 많은 분께 도움이 되었으면 합니다. 여러분 모두에게 행운이 함께하기를 바랍니다.

2021년 11월,

남영신

차례

4장 문법 뛰어넘기, 파격

〈문법편〉 들어가기

언어를 배울 때에 문법을 먼저 배우는 일은 거의 없다. 틀리든 맞든 상대와 말을 하다 보면 자연스럽게 말을 배우게 된다. 아이들이 모어를 배우는 과정을 살펴보면 언어란 그 언어를 사용하는 사람과 대화를 통해서 배운다는 사실을 알 수 있다. 외국어를 배울 때에도 마찬가지이다. 방송을 듣고 노래를 듣고 동영상을 보면서 다양한 방법으로 그 언어를 사용하는 사람들의 언어를 듣고 그들과 소통을 하다 보면 조금씩 사용하는 법을 터득하게 된다. 그래서 언어는 그 언어를 사용하면서 배우는 것이 자연스럽다.

그런데 우리가 구태여 문법을 배우는 이유는 무엇일까? 그 이유에 여러 가지가 있겠지만 나는 중요한 것 두 가지를 들고 싶다.

첫째는 언어의 기본 원리를 터득하여 정확한 의사소통을 하기 위함이다. 다른 말로 하면 좀 더 수준 높은 언어생활을 할 수 있으려면 문법을 배워 익혀야 한다는 말이다. 고급 문장을 이해하고 고급 문장을 작성하는 일은 문법에 어긋난 문장으로는 결코 가능하지 않을 것이다.

둘째는 수준 높은 글쓰기 능력을 기르기 위해서이다. 문법을 알면 새로운 단어를 활용하여 자신이 표현하고자 하는 뜻을 한없이 표현해 낼 수 있다. 문법을 아는 사람은 이제 어휘력만 기르면 되는 것이다. 많은 사람이 입으로는 능란하게 말하면서도 글을 쓰라 하면 손사래를 친다. 때로는 자기소개서 하나 변변히 쓰지 못해서 굴욕을 당하기도 한다. 이는 표현력의 부족 때문이기도 하지만, 그 밑바닥에는 문법 능력의 부족이 자리 잡고 있다. 하나의 문장을 완벽하게 완성할 수 있는 사람은 두세 개의 문장을 이어 나갈 능력이 생기고 결국은 긴 글을 쓸 능력까지 습득하게 된다. 그러나 하나의 짧은 문장도 제대로 완성하지 못하는 사람은 글을 쓰는 일 자체를 기피하게 된다. 그런 사람이 수준 높은 언어생활을 하기는 어려울 것이다.

한국어는 여느 언어에 비해서 문법이 까다롭다. 알아야 할 문법 요소가 무척 많고 복잡하여 한국어 문법을 배우는 사람들을 괴롭힌다. 특히 문장을 구성하는 방법이 단어의 배열만으로 이루어지지 않고 각 단어가 문법 요소인 조사와 어미의 도움을 받아야 한다. 그런데 조사의 종류와 쓰임새가 다양하고 어미도 형태와 기능이 복잡하여 쉽게 접근할 수 없는 어려움이 있다. 같은 기능을 하면서도 동사와 형용사에 따라서 어미 형태가 달라지고, 단어마다 어간의 형태에 따라서 어미가 달라지는 것은 조금은 짜증 나는 일이기도 하다. 물론 높임법의 복잡함은 이런 짜증을 훨씬 키우기도 한다. 이런저런 이유로 한국어를 제대로 구사하여 글을 쓰는 것은 교육을 받은 한국인에게도 쉽지 않은 일이다.

이렇게 중요한 문법이지만 공부하기는 꽤 딱딱하고 따분하게 느껴져서 학생들이 공부하기 싫어하는 부분이기도 하다. 그러나 시를 통해서 문법을 배운다면 문법 공부의 딱딱함이나 고루함에서 조금은 벗어날 수 있을 것이다. 특히 아름다운 시를 읽으면서 시에서 문법 원리가 어떻게 작동되고 있으며 그런 시들이 우리의 감성을 어떻게 일깨우는지 파악한다면, 시 감상과 문법 공부라는 두 가지 성과를 동시에 이룰 수 있으리라 생각한다. 그럼 이제 문법 공부의 새로운 세계로 들어가 보자.

1장

문법적으로 시 읽기

심미적 감상과 문법적 감상

여기에 멋진 시 한 수를 소개한다. 이미 읽어 본 사람도 다시 찬찬히 읽어 보기 바란다.

작은 연가

박정만

사랑이여, 보아라.
꽃 초롱 하나가 불을 밝힌다.
꽃 초롱 하나로 천리 밖까지
너와 나의 사랑을 모두 밝히고
해질녘엔 저무는 강가에 와 닿는다.
저녁 어스름 내리는 서쪽으로
유수(流水)와 같이 흘러가는 별이 보인다.
우리도 별을 하나 얻어서
꽃 초롱 불 밝히듯 눈을 밝힐까.
눈 밝히고 가다가다 밤이 와
우리가 마지막 어둠이 되면

바람도 풀도 땅에 눕고
사랑아, 그러면 저 초롱을 누가 끄리.
저녁 어스름 내리는 서쪽으로
우리가 하나의 어둠이 되어
또는 물 위에 뜬 별이 되어
꽃 초롱 앞세우고 가야 한다면
꽃 초롱 하나로 천리 밖까지
눈 밝히고 눈 밝히고 가야 한다면.

여러분은 이 시를 어떤 마음으로 읽었는지 알 수 없지만 짐작하건대 대부분은 시의 의미를 찾으면서 읽었을 것이다. 멋진 표현과 거기서 배어나는 의미와 아름다움에 마음을 빼앗기지 않았을까? 또 어떤 사람은 자기 삶을 돌이켜보면서 삶의 이유와 가치를 깨달았을지도 모른다. 시가 우리에게 주는 신선한 감정은 무한하다고 해도 과언이 아니다. 우리는 대체로 이렇게 시를 읽고 느낀다. 나는 이런 시 읽기의 태도를 심미적 감상이라고 부르려 한다. 일단 시는 우리의 정서를 순화하고, 삶에 가치와 긍정적 에너지를 제공하는 것이 분명하다. 물론 이 관점은 독자의 관점일 뿐 작가의 관점은 또 다른 영역이다.
나는 이 시를 읽는 여러분에게 조그만 새로운 관점을 제공하려 한다. 위 시가 현재 시제와 미래 시제로 쓰였다는 점을 지적하고 싶은 것이다. 이 시는 현재에서 미래로 가는 시라는 의미이다. 특히 '너와 나의 사랑을 모두 밝히고 해질녘엔 저무는 강가에 와 닿는다.'에서 '저무는'이라고 현재 시제를 쓴 것을 가볍게 보지 않기 바란다. 이는 완전히 저물어 버린 것이 아니라 이제 저물어 가는 상황이라는 의미이다. 그다음 어스름이 내리고, 별이 보이고, 마지막으로 어둠이 되었을 때에 바람도 풀도 땅에 누우면 초롱을 누가 끌 것인지 우리에게 묻고 있다. 시간의 흐름과 상황의 변화가 잘 어울리고 있는 것이다.

또 하나, '해질녘엔'이라고 한 부분도 의미를 부여할 만하다. 보통 시간을 나타내는 부사어로 '해질녘에'라고 할 것을 굳이 조사 '는'을 보태어 '해질녘엔'이라고 한 것에 유의하자는 것이다. 이는 해질녘이 되면 당연히 저무는 강가에 닿는다는 의미를 암시한다. 만일 조사 '는'을 붙이지 않고 '해질녘에 저무는 강가에 닿는다.'라고 했다면 '언제 저무는 강가에 닿을지' 물음에 대답하는 의미로 인식되기 쉽다. 여기서는 당연히 그런 물음이 필요 없기 때문에 조사 '는'을 붙인 것은 멋진 선택이 되었다. 조사와 어미에 이런 의미를 불어넣는 시인의 뜻을 이해하면서 읽는다면 이 시를 좀 더 깊이 이해할 수 있을 것이다. 이런 시 읽기 방식을 문법적 감상이라고 부르려 한다.

나는 늘 기다린다

유안진

늦은 밤 늦은 귀가를 기다리며
아이들의 안전을 걱정하다가
아이들이 돌아온 다음에도 여전히 기다린다
늦지 않는 밤에도 기다리는 나는
나의 귀가도 기다리는 줄 몰랐다

나는 나를, 너무 자주, 너무 멀리, 너무 오래 떠나가서, 늦은 나의 귀가를, 너무 먼 나의 귀갓길을, 돌아오지 않는 나를, 날마다 기다리고 기다려왔다

나는 어딜 가서 무얼 하느라고 늘 늦도록 돌아오지 않는가, 나를 기다리게 하는 나는, 언제부터 무슨 까닭으로, 나를 떠나가서 이렇게 기다리고 기다리게 할까

내가 부재하는 어디에도 기다리는 내가 있다, 도대체 나는 어떤 나를 기다리느라, 대문간 골목길 정류장마다 그림자를 걸어두고 귀를 열어둔 채, 안절부절 서성거리는 걸까.

이 시에는 작가의 일상과 함께 작가의 삶에 대한 태도가 잘 녹아 있다. 그리고 작가가 기다림을 통해서 자기 발견의 가

치를 독자에게 선사하고 있어 시를 시답게 하는 것을 알아차릴 수 있다. 그러니 시에는 작가의 말이 들어 있고 그 말이 독자에게 전달되는 구조가 들어 있는 것이다. 그것도 매우 짧고 정제된 글 속에 말이다. 보통의 독자는 이처럼 시를 심미적으로 읽으면 될 것이다. 거기서 보물을 찾아내고 자기 삶에 이용하면 충분하기 때문이다.

그런데 여기에서 한발 더 나아가서 문법적 감상을 하면 좋을 곳이 있다. '늦지 않는 밤에도 기다리는 나는 나의 귀가도 기다리는 줄 몰랐다'에서 '늦지 않는'이라고 하여 현재 시제를 사용한 것을 눈여겨볼 필요가 있다. 만일 '늦지 않은 밤'이라고 했다면 '늦은 밤'에 대비되는 시간을 나타내는 것으로 오해할 수 있다. 즉 초저녁부터 기다린다는 의미로 받아들여지게 된다.

그러나 '늦지 않는 밤'이라고 함으로써 아이들의 귀가가 늦지 않아 이미 아이들을 기다릴 필요가 없는 밤에도 기다리는 자신을 표현하고 있는 것이다. 어미 '-는'과 '-은'의 차이가 시의 맛을 크게 바꿔 놓고 있음을 알 수 있다. 다음에 눈여겨볼 것은 조사 '도'의 사용이다. '늦지 않는 밤에도'라고 하여 보통 아이들이 밤늦게 돌아오는 경우에 기다리게 되는데 아이들이 늦지 않게 돌아오는 경우에도 기다린다는 뜻이어서 그 기다림이 아이들만 아니라 자신을 기다리는 마음도 있었음을 나타낸다. 조사 '도'를 씀으로써 두 가지를 모두 기다린다는 점을 넌지시 말하고 있는 것이다. 문법적 감상은 시를 좀 더 깊이 이해하게 만들어 우리를 작가에게 좀 더 가깝게 다가가게 해 준다.

나뭇잎 하나

신달자

막 떨어진 나뭇잎 하나
밟을 수 없다.
그것에도 온기 남았다면
그 스러져 가는 미량의 따스함 앞에
이마 땅에 대고 이 목숨 굽히오니
내 아버지 호올로 가시는
낯설고 무서운 저승길
내 손 닿지 않는 먼 길
비 오니
그 따스함 한가닥 빛이라도
될 수 있을까 몰라
울 아버지
동행길의 미등이 될 수 있을까 몰라

막 떨어진 나뭇잎 하나

나는 이런 시를 읽으면서 참으로 놀라운 느낌을 갖는다. 국어사전에는 수많은 단어들이 빼곡히 들어 있는데 시인은 어떻게 그 많은 단어 가운데에서 필요한 단어만 빼내어 이리저리 짜 맞추어 이처럼 사람의 감정을 사로잡는 시를 지을 수 있었을까.

나는 오래전부터 여러 종류의 국어사전을 엮어 왔는데, 국어사전의 올림말들은 나에게 말을 걸어온 일이 별로 없었다. 올림말의 뜻풀이를 할 때까지도 단어는 나에게 말을 걸지 않았다. 그러나 그 단어들의 용례를 생각해 내고, 다른 단어와의 용법 차이를 설명하려 할 때에 단어들이 갑자기 나에게 진지하게 말을 걸어왔다. 그럴 때에 나는 단어를 다루는 희열을 느끼곤 했다. 그런데 시를 읽을 때에는 언제나 단어 하나하나가 때로는 아우성치듯이 때로는 뽐내듯이 나에게 말을 걸어오는 것을 느낀다. 시에 쓰인 단어는 언제나 살아 있음을 느낀다.

시의 언어가 이런 감성을 뿜어내며 나에게 말을 걸고 있다고 느끼게 된 이유는 무엇일까. 그 비밀은 바로 단어와 단어가 서로 연결되어, 아니 연대하여 새로운 생각과 감정을 생산해 내기 때문이다. 이는 분명히 단어들이 연대하여 이룬 성과이다. 이는 개성이 다른 사람들이 연대하여 하나의 성과를 만들어 내는 것과 다르지 않다. 연대를 협력이라고 해도 좋을 것이다.

단어와 단어가 만나 하나의 통일된 뜻을 만들어 내는 것과 사람과 사람이 만나 하나의 통일된 일을 해내는 것은 참으로 닮은 데가 많다. 사람과 사람이 만나서 어떤 일을 해내는 데는 분명히 서로 양해하고 따르는 규칙과 서로 공유하며 지향하는 목표가 있었을 것이다. 단어와 단어가 서로 만나서 하나의 통일된 뜻을 만들어 내는 데는 문법과 작가의 시상이 있었을 것이다.

사람들이 모여서 어떤 성과를 만들어 냈을 때에 우리는 단순히 그 성과를 칭찬하고 향유하는 것에 머물지 않고, 그 성과를 내기 위해서 사람들이 어떤 방식으로 연대했는지를 알고자 한다. 그래야 다른 사람도 그들이 바라는 성과를 낼 수 있기 때문이다. 마찬가지로 시를 읽고 멋진 감정을 느꼈다면 그 느낌이 어떻게 해서 형성되었는지 알아야 한다.

그래서 우리는 시인의 시상과 함께 그것을 이루어 내고 있는 문법을 이해해야 한다. 시에 나열된 단어들은 아무렇게나 모여 있는 것이 아니라 일정한 문법을 바탕으로 모이고 연대한다. 내가 시를 문법적으로 읽을 필요가 있다고 느낀 것은 바로 이 단어들이 어떻게 연대하는지를 알아야 시상이 발현되는 과정을 좀 더 뚜렷하게 이해할 수 있기 때문이다. 이런 인식을 갖고 시를 읽는 것이 내가 여러분에게 제시하려는 문법적 감상이다.

문법적 감상이 필요한 이유

시가 우리에게 격조 높은 멋과 가치를 제공해 주는 바탕에는 시 문장이 갖고 있는 문법적 완성도가 자리 잡고 있다. 문법적 완성도가 부족한 시에서는 최고 수준의 멋을 느낄 수 없다. 현란한 기법도 문법적 완성도를 갖춘 뒤에 빛을 발할 수 있는 것이다. 이는 마치 피겨스케이팅 선수의 예술적인 기술이 기본 동작을 가장 정확하게 구현한 뒤에 나타나는 것과 다르지 않다. 피겨스케이팅의 현란한 기술에만 눈을 주는 사람은 아직 피겨스케이팅의 진수를 파악하지 못한 아마추어라고 해도 과언이 아니다.

피겨스케이팅에서 점프하여 두세 바퀴 돈 뒤에 착지하는 동작 사이에는 다양한 원칙이 있어서 그 원칙에 따라야 실점을 당하지 않는다. 전문가들은 피겨스케이팅 선수의 각 동작을 유심히 관찰하면서 기본기를 규정에 맞게 사용하고 있는지 먼저 평가하고, 그다음으로 그 기본기를 얼마나 멋지게 사용하는지 평가하여 점수를 가산하기도 하고 삭감하기도 한다. 이렇게 해서 전문가들이 인정하는 선수의 기술은 일반인에게 완벽한 아름다움의 멋을 느낄 수 있게 하는 것이다.

내가 시를 심미적으로 감상하는 것을 넘어서 문법적으로 감상하려는 것은 바로 피겨스케이팅에서 기본 동작의 정확성과 화려한 기술의 예술성을 함께 보는 태도와 다르지 않다. 시의 정확성과 예술성을 함께 보려는 태도는 우리의 시 감상 수준을 한 단계 높이는 데 도움이 될 것이다.

봄비

장인성

네가 오는구나.
손에 든 초록 보따리
그게 전부 가난이라 해도
반길 수밖에 없는
허기진 새벽

누이야,
네 들고 온 가난을 풀어보아라.
무슨 풀씨이든
이 나라 들판에 뿌려놓으면
빈 곳이야 넉넉히 가리지 않겠느냐.

이 시는 우리에게 많은 것을 생각하게 만들면서 깊은 공감을 일으킨다. '초록 보따리'를 들판에 흩뿌리는 봄비에서 우리가 느낄 수 있는 것은 희망일 것이다. 그 초록 보따리를 부가 아닌 가난으로 표현한 것에서 우리는 시인의 아름다운 마음을 읽을 수 있다. 이 시가 우리에게 이런 감상을 주게 되는 맥락은 단어의 적절한 선택과 배열에 있음을 알아야 한다. 그리고 이런 선택과 배열은 자연히 이루어지는 것이 아니라 시인의 치열한 노력을 통해서 이루어진다는 것도 알아주어야 한다.
이 시에는 의미를 가진 31개의 단어가 사용되어 있다. 쓰인 순서대로 아래에 나열해 보았는데 이들 단어의 나열에서는 앞에서 느꼈던 멋진 느낌을 결코 느낄 수 없다. 모든 단어들이 아무렇게나 나자빠져 있는 것처럼 보일 것이다. 선택된 단어들이라 해도 이처럼 나열되어 있으면 일정한 의미를 만들어 내지 못한다.

- 너, 오다, 손, 들다, 초록, 보따리, 그거, 전부, 가난, 하다, 반기다, 없다, 허기지다, 새벽, 누이, 너, 들다, 오다, 가난, 풀어보다, 무슨, 풀씨, 이, 나라, 들판, 뿌려놓다, 비다, 곳, 넉넉히, 가리다, 않다

시인은 자신이 품고 있는 시상을 표현하기 위해서 국어사전에 들어 있는 수많은 단어 중에서 이들을 선발했을 것이다. 그런데 이들을 어떻게 엮어서 하나의 완성된 생각을 만들어 냈을까. 다른 말로 하면 시인이 어떻게 이들 단어들이 서로 협력하고 연대하게 하여 자신의 시상을 풀어내도록 만들었

을까. 거기에 쓰인 것이 바로 문법이라고 불리는 원리이다. 문법은 단어를 엮어 의미를 만들어 내는 규칙인 것이다.

○ 문장의 뼈대를 세우는 조사

위 시에서 '너'를 '네가'로 바꾼 것은 '너'를 '오다'의 주어로 만들기 위해서이다. '오다'를 '오는구나'로 바꿔서 서술어를 만들었다. 이렇게 해서 문장이 완성된다. 아무 일도 못 하고 있던 '너'가 조사를 만나서 주어가 되어 문장의 뼈대가 되었다. 글을 쓰는 사람은 목수와 같다. 목수는 단단한 나무를 그 크기와 강도에 따라서 기둥이나 서까래나 돌보로 써서 집의 뼈대를 짠다. 이처럼 글을 쓰는 사람은 사전에 올라 있는 수많은 단어 중에서 명사나 대명사 같은 체언을 주어나 목적어, 보어, 서술어로 만드는 기능을 하도록 그에 맞는 조사를 붙여 단어들을 조합한다. 이것이 문장의 뼈대를 구축하는 일이다.

목수가 기둥과 서까래와 들보를 서로 맞추기 위해서 장부(목재를 다른 목재의 구멍에 끼우기 위해서 끝을 가늘고 길게 다듬은 부분)를 사용하는 것처럼 글을 쓰는 사람은 문장의 뼈대를 구축하기 위해서 조사를 사용한다. 장부를 잘 맞추면 집 구조가 튼튼해지는 것처럼 조사를 잘 쓰면 문장의 구조가 완벽해진다. 조사는 명사나 대명사 따위를 문장의 뼈대인 주이니 서술이 또는 목적어나 보어 등이 되게 만드는 기능을 한다. 그래서 조사를 문장의 뼈대를 만드는 장부라고 할 수 있다.
우리는 보통 명사나 동사처럼 의미를 가진 단어만 소중히 여기고 아무런 뜻을 갖지 못한 조사는 무척 소홀히 취급하는 경향이 있다. 그러나 의미를 가진 단어라고 해도 조사의 도움을 받지 않으면 문장에서 어떤 구실도 할 수 없다. 체언이라고 구별하여 놓은 명사, 대명사, 수사는 조사의 안내에 따라서 주어가 되기도 하고 목적어가 되기도 하고 보어가 되기도 하고 서술어가 되기도 한다. 만일 우리가 시를 통해서 멋진 느낌을 받았다면 조사들이 그들의 능력을 충분히 발휘하여 단어들을 제자리에서 빛을 발하게 해 준 덕이라는 점을 알아야 한다. 이런 사정을 알고 시를 감상하는 것이 바람직하다.

시인에게

이상화

한 편의 시 그것으로
새로운 세계 하나를 낳아야 할 줄 깨칠 그때라야
시인아, 너의 존재가
비로소 우주에게 없지 못할 너로 알려질 것이다,
가뭄 든 논에게는 청개구리의 울음이 있어야 하듯.

새 세계란 속에서도
마음과 몸이 갈려 사는 줄 풍류만 나와 보아라.
시인아, 너의 목숨은
진저리나는 절름발이 노릇을 아직도 하는 것이다.
언제든지 일식된 해가 돋으면 뭣하며 진들 어떠랴.
시인아, 너의 영광은
미친 개 꼬리도 밟는 어린애의 짬 없는 그 마음이 되어
밤이라도 낮이라도
새 세계를 낳으려 손댄 자국이 시가 될 때에 있다.
촛불로 날아들어 죽어도 아름다운 나비를 보아라.

이 시는 나라를 잃은 절망 속에 있는 시인에게 요구하는 바를 읊은 것이다. 이 시의 핵심어인 '너의 존재', '너의 목숨', '너의 영광'이 조사 '가'와 '은' 덕에 문장의 기둥이 되어 있음을 알 수 있다. 또 '그것으로', '시인아', '노릇을', '해가', '꼬리도', '마음이', '세계를', '자국이', '시가', '때에', '촛불로', '나비를' 등에 쓰인 조사 '으로', '아', '을', '가', '도', '이', '로' 같은 조사가 해당 부분에서 뼈대 노릇을 하고 있음을 알 수 있다.

◦뼈대에 활력을 불어넣는 어미

조사가 문징의 뼈대를 구축하는 기능을 한나면 어미는 구축된 뼈대가 멋진 모습을 보일 수 있도록 해 주는 기능을 한다.

그 뼈대가 어떻게 생겼는지, 그리고 그 생김새가 나타내는 멋이 무엇인지, 또 그 뼈대가 어떻게 기능하는지를 동사나 형용사가 최종적으로 매듭짓게 만드는 일을 어미가 하는 것이다. 건축물의 뼈대를 구축하는 목수를 대목이라고 하고 꾸밈을 맡는 목수를 소목이라고 하는 것에 빗댄다면, 조사는 대목의 기능을 하고 어미는 소목의 기능을 한다고 말할 수 있다.
아래 시의 제목이 '그리운 친구'인데 '그리운'이 '친구'를 수식하게 된 것은 '그립다'에 어미 '-은'이 붙었기 때문에 가능했다. 또, '그리운 눈물이 된다'에 쓰인 '된다'는 동사 '되다'에 어미 '-ㄴ다'가 붙은 덕에 주어를 설명하며 문장을 마무리할 수 있었다. 이처럼 어미는 동사와 형용사가 문장의 뼈대를 꾸미는 기능을 하도록 만들기도 하고, 뼈대가 무엇을 하는지 확정 짓는 일을 하여 문장의 뼈대에 활력을 불어넣는다. 조사에 여러 층위가 있어서 다양한 기능과 어감을 주게 되는 것처럼 어미에도 여러 층위가 있어서 각 어미가 갖는 고유한 기능과 어미가 주는 느낌이 세밀하게 구별되어 있다.

그리운 친구

김종익

초록빛 시간 여행은
그리운 눈물이 된다

따뜻한 고구마로
허기진 슬픔을
달래주던 친구

억새풀로 노래하는
산들바람에 네 소식 물어도
고개만 살래살래 젓는다

냇물에 떠내려 온 보름달에
소식 전해 달라고
사연 적어 보낸다

좋아한다고
수줍어 말 못하고
가슴앓이만 했었다고

이 시는 친구를 그리워하는 마음을 서정적으로 표현해 냈다. 헤어진 친구의 소식을 '억새풀로 노래하는 산들바람'에 묻고, 자기의 소식을 친구에게 전해 달라고 '냇물에 떠내려 온 보름달'에게 부탁하는 표현은 시의 멋을 한껏 뽐내는 것 같다. 이 시에서 여러분이 느끼는 감정은 주로 '그리운, 된다, 따뜻한, 허기진, 달래주던, 노래하는, 물어도, 젓는다, 떠내려, 온,

전해, 달라고, 적어, 보낸다, 좋아한다고, 수줍어, 못하고, 했었다고' 같은 동사와 형용사에 근거한다. 원래 동사와 형용사는 명사나 대명사의 행동과 상태를 표현하는 것이어서 이것들이 없다면 명사와 대명사는 죽은 막대기에 지나지 않는다. 그러나 동사와 형용사가 명사와 대명사에 활기를 불어넣음으로써 비로소 우리 속에 생각과 감정이 움직이게 된다.

동사와 형용사가 구체적으로 체언에 활기를 넣는 일은 동사와 형용사의 어미를 통해서 이루어진다. 그래서 동사와 형용사의 어미는 마치 물고기의 꼬리가 물고기의 진행을 좌우하듯이 동사와 형용사의 기능을 좌우한다. 우리가 문장에서 의미를 인식하고 미적 감각을 받아들이는 바탕에는 바로 어미의 기능이 있다. 즉 어미의 문법적 역할에 따라서 동사와 형용사가 명사와 대명사를 이끌어 독자가 문장의 의미를 인식하게 만들면 비로소 문장이 생명력을 갖추게 되는 것이다.

건축에서 소목은 대목이 해 놓은 일을 건드리지 않는다. 즉 소목은 뼈대를 건드리지 않는다. 문장에서도 조사가 구축해 놓은 문장 구성을 어미는 결코 변화시키지 않고 그 안에서 어미의 화려한 기능을 펼칠 뿐이다. 이는 문장의 형식이 조사와 관계가 있을 뿐 어미는 관계하지 않는다는 것과 통하는 말이다. 어미는 조사가 만들어 놓은 문장 형식을 바꾸지 않고 문장에 작가의 기분과 감정을 세밀하게 집어넣는다.

○ 문법적 감상이 중요한 것은

우리는 보통 시를 읽을 때에 문법을 생각하지 않는다. 문법을 생각하는 것이 오히려 시의 이미지 형성을 방해할 수 있다고 생각하는 경향도 있다. 그러나 만일 여러분이 시인과 교감하고자 한다면 꼭 문법적 감상을 시도해 보기를 권한다. 왜냐하면 시인이 하나의 조사, 하나의 어미도 허투루 사용하지 않고 세심하게 배려하여 선택했을 것이기 때문이다. 시를 문법적으로 감상한다는 것은 바로 조사와 어미에 관심을 기울이면서 읽는다는 의미이기도 하다.

내가 웃잖아요

이정하

그대가 지금 뒷모습을 보인다고 해도
언젠가는 돌아오리라는 것을 믿기에
나는 괜찮을 수 있지요.

그대가 마시다가 남겨 둔 차 한 잔
따스한 온기로 남아 있듯이
그대 또한 떠나 봤자
마음은 여기에 있다는 것을

알고 있기에
난 아무렇지도 않은 듯
웃을 수 있지요.

가세요, 그대. 내가 웃잖아요.
너무 늦지 않게 오세요.

한국인은 이미 한국어 문법이 몸에 배어 있기 때문에 특별히 문법을 생각하지 않고도 이 시를 감상하는 데 어려움이 없다. 그러나 여러분이 시인의 감성에 좀 더 접근하고자 하는 사람이라면 시인이 사용한 조사와 어미를 눈여겨볼 필요가 있다. 왜 시인이 이 조사를 사용했을까, 왜 시인이 이 어미를 사용했을까 하는 데 착안해 보면 시에서 일반적으로 느낄 수 있는 감정보다 더 깊은 감정을 느낄 수 있게 된다.

이 시를 감상할 때에 가장 먼저 생각할 수 있는 것은 시인이 해요체를 사용했다는 점이다. '웃잖아요, 있지요, 오세요'가 해요체 높임이다. 해요체는 종결어미 사용법으로서 일반적으로 상대를 높이는 어법이다. 시인이 상대를 정중하고 품위 있게 그러나 넘치지 않게 배려하는 마음 상태를 읽을 수 있는 것이다.

둘째로, 조사 '는'을 적절히 사용한 점이다. 이는 시인이 상대에 대한 강렬한 믿음을 표현하기 위해서 사용한 것이다. '언젠가는 돌아오리라는 것을 믿기에'에 쓰인 '는'이 그것인데 이 조사는 쓰지 않아도 상관없는데 굳이 쓴 것은 그 믿음을 강조하기 위해서이다. 어느 시기에 반드시 돌아오리라는 믿음을 나타내기 위한 수단인 것이다. 조사 '는'의 이 기능을 사용한 시인의 심리를 우리가 알아차린다면 시 감상이 한결 깊어지지 않을까.

이 밖에도 '보인다고 해도'의 '고', '마시다가 남겨 둔'의 '가', '떠나 봤자'의 '–았자' 등도 시인의 강렬한 의욕과 소망을 강화하는 데 사용되고 있다. 우리가 문법적 감상을 하지 않는다면 군데군데 숨어 있는 이런 문법 요소들의 의미를 소홀히 지나치게 될 것이고 그렇게 되면 시인의 내면의 깊은 소리에 가까이 다가가지 못할 수 있다. 그래서 우리는 시인이 선택한 하나의 조사, 하나의 어미에도 민감하게 호응하도록 훈련되어야 한다.

문법 공부의 시작, 단어와 품사

문법은 문장을 만드는 원리와 규칙을 가리키는 말이다. 사전적 의미로는 말의 구성 및 운용상의 규칙이라고 정의할 수 있는데, 이는 단어의 구성 방식과 그 단어를 사용하여 하나의 통일된 뜻을 완성하는 문장을 만드는 규칙을 일컫는다.
단어는 한 개 이상의 형태소로 이루어졌고, 형태소 중에는 독립성 여부에 따라서 자립형태소와 의존형태소가 있고, 의미가 있고 없고에 따라서 실질형태소와 형식형태소로 나뉜다. 단어 가운데에서 단일어는 실질형태소 하나로 이루어진 것이고, 복합어는 둘 이상의 형태소가 결합해서 된 단어인데 여기에는 합성어와 파생어가 속한다. 합성어는 둘 이상의 실질형태소가 결합된 단어이고, 파생어는 실질형태소에 접사(접두사와 접미사) 같은 형식형태소가 결합하여 이루어진 단어이다. 이런 개념들의 형태와 의미를 알고 단어를 보면 단어가 훨씬 더 잘 이해될 것이다. 단어의 구성과 관련한 용어를 간단히 설명하면 아래와 같다.

• 형태소: 뜻이나 기능을 가진 가장 작은 말의 단위이다. '손, 발, 나, 하나, 웬, 도무지' 같은 단어, '맨-, -질' 같은 접사,

'넓-, 묶-' 같은 어간, '-은, -게' 같은 어미, '는, 까지' 같은 조사가 형태소에 속한다. 단어로 쓰이는 형태소와 접사로 쓰이는 형태소와 어간과 어미로 쓰이는 형태소가 있다.
자립형태소는 다른 말에 의존하지 아니하고 혼자 설 수 있는 형태소를 말한다. 명사, 대명사, 수사, 부사, 관형사, 감탄사 들이 이에 속한다.
의존형태소는 다른 말에 의존하여 쓰이는 형태소를 말한다. 어간, 어미, 접사, 조사 따위가 이에 속한다.
실질형태소는 구체적인 대상이나 동작, 상태를 표시하는 형태소를 말한다. 명사, 대명사, 수사, 부사, 관형사 그리고 동사와 형용사의 어간 들이 이에 속한다.
형식형태소는 실질형태소에 붙어 주로 말과 말 사이의 관계를 표시하는 형태소를 말한다. 조사, 어미, 접사 따위가 이에 속한다.
접사는 단독으로 쓰이지 아니하고 항상 다른 어근이나 단어에 붙어 새로운 단어를 구성하는 부분이다. 접두사와 접미사가 있다.
접두사는 어근이나 단어의 앞에 붙어 새로운 단어가 되게 하는 말이다. '맨손'의 '맨-', '들볶다'의 '들-', '시퍼렇다'의 '시-', '신기술'의 '신-' 따위가 이에 해당한다.
접미사는 어근이나 단어의 뒤에 붙어 새로운 단어가 되게 하는 말이다. '사무실'의 '-실', '먹보'의 '-보', '지우개'의 '-개', '선생님'의 '님', '먹이다'의 '-이-', '밝히다'의 '-히-' 따위가 이에 해당한다.

- 어근: 단어에서 실질적 의미를 나타내는 중심이 되는 부분이다. '사냥꾼'의 '사냥', '덮개'의 '덮-', '공부하다'의 '공부', '헛기침'의 '기침' 따위가 어근에 속한다. 어근은 실질형태소이고 어근에 형식형태소인 접사를 붙이면 단어가 된다.
- 어간: 동사와 형용사의 실질형태소 부분이다. 어간에 어미가 붙어 동사와 형용사가 된다. 동사와 형용사에서는 대체로 어근과 어간이 일치하지만 어떤 파생어인 동사나 형용사는 어근과 어간이 다를 수 있다. 예를 들면 '조용하다'는 어근이 '조용'이고 어간은 '조용하-'이다. '-하-'는 접미사이고 여기에 어미가 붙는다. 어간은 어근에 붙은 접사까지 포함한다.
- 어미: 동사와 형용사의 형식형태소 부분이다. 어미는 문장에서 활용 형태로 쓰인다.
- 단어: 분리하여 자립적으로 쓸 수 있는 말이나 이에 준하는 말이다. 또는 그 말의 뒤에 붙어서 문법적 기능을 나타내는 말이다. 9개 품사로 분류된다. 단일어, 복합어가 있다.
- 단일어: 실질형태소 하나로 이루어진 단어이다. '소, 닭, 곧, 하늘' 따위가 있다.
- 복합어: 파생어와 합성어로 나뉜다.
- 파생어: 실질형태소(어근)에 형식형태소인 접사가 결합하여 하나의 단어가 된 말이다. 명사 '발'에 접미사 '-질'이 붙은 '발질', 동사 어간 '덮-'에 접미사 '-개'가 붙은 '덮개', 명사

'손' 앞에 접두사 '맨-'이 붙은 '맨손' 따위를 파생어라고 한다. '들볶다, 짓밟다, 헛돌다' 따위도 동사 '볶다, 밟다, 돌다'에 접두사 '들-, 짓-, 헛-'이 붙어 만들어진 파생어이다.

- 합성어: 둘 이상의 실질형태소가 결합하여 하나의 단어가 된 말이다. 단일어 둘 이상이 결합한 것(돌부처, 소고기, 위아래, 빛나다, 힘들다)이 있고 하나의 단일어에 실질형태소가 결합한 것(높푸르다, 납작보리)이 있다.

위 용어를 간단히 정리하면 아래와 같다.

- 단일어에는 자립형태소(해당 단어: 명사, 대명사, 수사, 부사, 관형사, 감탄사), 실질형태소+의존형태소(해당 단어: 동사, 형용사), 의존형태소(해당 단어: 조사)가 있다.
- 복합어는 파생어와 합성어로 나뉜다.
- 파생어에는 접두사+단일어(해당 단어: 헛소리, 대가족, 새빨갛다), 단일어+접미사(해당 단어: 선생님, 손질, 깊이)가 있다.
- 합성어에는 단일어+단일어(해당 단어: 강물, 물감, 마음속), 실질형태소+단일어(해당 단어: 높푸르다, 납작보리)가 있다.

이로써 여러분은 단어의 구성과 관련하여 알아야 할 개념을 모두 알게 되었다. 형태소가 단어와 결합하는 과정에서 어떤 형태소가 어떻게 결합하면 어떤 단어가 되는지 이해하게 되었을 것이다. 이 과정을 다른 말로 조어법이라고 한다.

이렇게 해서 만들어진 단어를 문법에서 사용할 때에는 기능, 형태, 의미에 따라서 구별하여 사용하는데 그렇게 구별한 것을 품사라고 부른다. 학교문법에서는 단어를 9가지 품사로 구별한다. 명사, 대명사, 수사, 동사, 형용사, 관형사, 부사, 조사, 감탄사가 그것이다. 그리고 이들 품사를 다시 문장에서 쓰이는 성격이 같은 것끼리 묶어서 체언, 용언, 수식언, 관계언, 독립언으로 나눈다. 체언에는 명사, 대명사, 수사의 세 품사가 속하고, 용언에는 동사와 형용사가 속하고, 수식언에는 관형사와 부사가 속하고, 관계언에는 조사가 있고, 독립언에는 감탄사가 있다. 이를 정리하면 아래와 같다.

- 9품사: 명사, 대명사, 수사, 동사, 형용사, 관형사, 부사, 감탄사, 조사
- 체언: 문장에서 주어, 목적어, 보어, 부사어 따위의 기능을 하는 명사, 대명사, 수사를 통틀어 이르는 말이다. 체언은 조사가 붙어야 문장에서 역할을 수행할 수 있다.
- 용언: 문장에서 서술어의 기능을 하는 동사, 형용사를 통틀어 이르는 말이다. 어간과 어미로 이루어지며 어미는 활용하는 특징이 있다.
- 수식언: 뒤에 오는 말을 수식하거나 한정하기 위하여 쓰이는 관형사와 부사를 통틀어 이르는 말이다. 관형사는 체언을 수식하거나 한정하고, 부사어는 용언을 수식하거나 한정한다. '애먼, 새[新], 한[一]' 따위는 관형사이고, '일부러,

바로, 반드시' 따위는 부사이다.

- 관계언: 문장에 쓰인 단어들의 관계를 나타내는 기능을 하는 말이다. 조사가 이에 해당한다.
- 독립언: 독립적으로 쓰이는 감탄사를 이르는 말이다. '아, 오, 저런, 웬걸' 따위가 있고, 체언에 호격조사를 붙여 독립언을 만들기도 한다.

쓸쓸

문정희

요즘 내가 즐겨 입는 옷은 쓸쓸이네
아침에 일어나 이 옷을 입으면
소름처럼 전신을 에워싸는 삭풍의 감촉
더 깊어질 수 없을 만큼 처연한 겨울 빗소리
사방을 크게 둘러보아도 내 허리를 감싸 주는 것은
오직 이것뿐이네
우적우적 혼자 밥을 먹을 때에도
식어 버린 커피를 괜히 홀짝거릴 때에도
목구멍으로 오롯이 넘어가는 쓸쓸!
손글씨로 써 보네 산이 두 개나 위로 겹쳐 있고
그 아래 구불구불 강물이 흐르는
단아한 적막강산의 구도!

길을 걸으면 마른 가지 흔들리듯 다가드는
수많은 쓸쓸을 만나네
사람들의 옷깃에 검불처럼 얹혀 있는 쓸쓸을
손으로 살며시 떼어 주기도 하네
지상에 밤이 오면 그에게 술 한 잔을 권할 때도 있네
그리고 옷을 벗고 무념(無念)의 이불 속에
알몸을 넣으면
거기 기다렸다는 듯이
와락 나를 끌어안는 뜨거운 쓸쓸

이 시는 단어가 아닌 '쓸쓸'이라는 형태소를 단어처럼 제목으로 썼다. 우리가 문장을 쓸 때에 단어가 아닌 말을 독립적으로 쓰지 않는다. 그런데 이 시에는 제목부터 단어가 아닌 의존형태소를 자립형태소인 명사처럼 사용하고 있다. 시인이 대단한 실험을 감행한 것이다. 시인은 '쓸쓸하다'의 어근 '쓸쓸'을 접미사 '–하다'와 분리하여 독립시키고 싶었던 거다. '산이 두 개나 겹쳐 있고 그 아래 구불구불 강물이 흐르는 단아한 적막강산의 구도'는 '쓸쓸'을 형상화한 표현이다.
형용사나 동사의 어근을 독립시켜서 그것을 소재로 시를 짓는다는 것, 그것은 오로지 시인의 언어적 실험 정신 또는 창의적 정신이 아니면 해낼 수 없는 일이다. '넉넉하다, 느긋하다, 초라하다, 지루하다, 따뜻하다, 상냥하다, 비슷하다, 반듯하다'의 어근인 '넉넉, 느긋, 초라, 지루, 따뜻, 상냥, 비슷, 반듯' 따위를 독립시키는 것도 시도해 볼 만한 형태소이다. 이를 언중이 받아들이면 독립한 단어로 발전할 수 있고 그러지 못하면 이처럼 시에서만 사용되는 것으로 만족한다. 나는 이런 시를 만나면 반갑기 짝이 없다.

청노루

박목월

머언 산 청운사(靑雲寺)
낡은 기와집,

산은 자하산(紫霞山)
봄눈 녹으면,

느릅나무
속잎 피어 가는 열두 굽이를

청노루
맑은 눈에

도는
구름.

이 시에는 19개의 단어가 쓰였다. 많지 않으니 복습 삼아서 이 시에 쓰인 단어를 품사로 나눠 보고 또 같은 성질의 품사를 묶어 보자. 해당 품사가 없는 경우에는 없다는 뜻을 표시하고, 동사와 형용사는 활용형을 그대로 표기한다.

- 체언: 명사는 '청노루(청+노루), 산, 청운사(청운+사), 기와집(기와+집), 자하산(자하+산), 봄눈(봄+눈), 느릅나무(느릅+나무), 속잎(속+잎), 굽이, 눈, 구름'이다. 괄호 안은 형태소를 분석한 것이다.
- 용언: 동사와 형용사가 있다. 동사는 '녹으면(녹+으면), 피어(피+어), 가는(가+는), 도는(돌+는)', 형용사는 '머언(멀+ㄴ), 낡은(낡+은), 맑은(맑+은)'이다. '머언'은 형용사 '멀다'의 활용형 '먼'을 긴소리로 표기한 것이며, 괄호 안은 형태소를 분석한 것이다.
- 수식언: 관형사 '열두'가 있다.
- 관계언: 조사 '은, 를, 에'가 있다.

다음 시에 사용된 품사도 위에서 한 것처럼 분류해 보자. 동사와 형용사는 활용한 형태를 그대로 표기한다.

저녁놀

오일도

작은 방 안에
장미를 피우려다 장미는 못 피우고
저녁놀 타고 나는 간다.

모가지 앞은 잊어버려라
하늘 저편으로
둥둥 떠가는
저녁놀!

이 우주에
저보다 더 아름다운 것이 또 무엇이랴!
저녁놀 타고
나는 간다.

붉은 꽃밭 속으로
붉은 꿈나라로.

- 체언: 이 시에는 명사와 대명사가 있다. 명사는 '방, 안, 장미, 저녁놀(저녁+놀), 모가지, 앞, 하늘, 저편(저+편), 우주, 것, 꽃밭(꽃+밭), 속, 꿈나라(꿈+나라)', 대명사는 '나, 저, 무엇'이 있

다. 괄호 안은 형태소를 분석한 것이다.

- 용언: 동사와 형용사가 있다. 동사는 '피우려다(피우+려다), 피우고(피우+고), 타고(타+고), 간다(가+ㄴ다), 잊어(잊+어), 버려라(버리+어라), 떠가는(떠가+는)', 형용사는 '작은(작+은), 아름다운(아름답+은), 붉은(붉+은)'이 있다.
- 수식언: 관형사와 부사가 쓰였다. 관형사는 '이', 부사는 '못, 더, 또'가 있다.
- 관계언: 조사 '에, 를, 는, 은, 으로, 보다, 이, 이랴, 으로, 로'가 있다.

이 두 시에서 우리가 알 수 있는 것은 체언을 조사가 이리저리 사용하고 있고, 용언은 어미로 인해서 의미가 드러난다는 점이다. 앞에서 말한 대로 조사는 문장의 뼈대를 제 위치에 세우는 기능을 하고 어미는 용언을 다양하게 활용하여 서술하도록 함으로써 뼈대에 생명력을 넣어 주고 있음을 알 수 있다. 조사와 어미가 이런 기능을 수행하는 데는 일정한 원리가 작용하고 있고 우리는 그 원리를 문법이라는 용어로 정의한다. 문법을 알아야 시를 쓸 수 있고, 시를 읽을 수 있으며, 시를 이해할 수 있음을 강조하지 않을 수 없는 이유가 여기에 있다. 또한 이 책이 조사와 어미를 문법 설명의 핵심으로 삼는 이유가 여기에 있다.

| 형태소와 '늣씨'

한국어 구조 분석의 태두는 주시경 선생이다. 선생은 그의 저서 《말의 소리》(1914)에서 우리말의 구조를 분석하여 세계 언어학계에서 최초로 '말의 원소'라고 할 수 있는 단위를 밝혀냈는데 이 단위에 '늣씨'라는 이름을 붙였다. '늣'이란 '늦'과 같은 말로서 무엇의 근원이 되는 것 또는 장차 무엇이 될 빌미를 의미한다. 풀어 말하면 '늣씨'는 '말의 씨앗'을 뜻하는 용어인데, 이 '늣씨'가 바로 현대 언어학에서 말하는 형태소에 해당한다. 주시경 선생의 '늣씨' 발견은 영어 분석에서 미국의 언어학자 블룸필드가 형태소(morpheme)를 발견한 1933년보다 19년이 앞선다. 세계 언어학계가 언어 구조 분석의 태두인 주시경 선생의 '늣씨' 발견을 기념하는 날이 오기를 기대한다.

| 의존명사

명사를 분류할 때에 보통명사와 고유명사, 구체명사와 추상명사, 자립명사와 의존명사 같은 분류를 한다. 고유명사는 특정한 사람이나 사물을 부르는 데 사용하는 명사를 가리키고, 보통명사는 같은 종류의 사물에 두루 쓰이는 명사를 가리킨다. 구체명사는 구체적인 형체를 갖춘 사물을 나타내는 명사이고, 추상명사는 생각이나 감정 같은 개념을 나타내는 명사이다.

대체로 명사는 자립성이 있어서 어디에서나 독립적으로 조사를 부리며 주어나 목적어 또는 부사어로서 사용된다. 그러나 독립성이 없어 반드시 앞에 관형어가 있어야 명사로서 기능할 수 있는 것들이 있다. 이것들을 의존명사라고 부르는데 아래 예문에 쓰인 '것, 뿐, 데, 따름, 지, 만' 등이 의존명사이다. 이것들의 앞에 언제나 관형어가 있음을 알 수 있다.

- 그렇게 말하는 것은 옳지 않다.
- 그냥 네가 좋을 뿐이야.
- 여기 오는 데에 두 시간이나 걸렸다.
- 잠깐 당황했을 따름이다.
- 헤어진 지 10년 만에 만났다.
- 네가 화낼 만도 하다.

| 보조동사와 보조형용사

보조동사와 보조형용사를 아울러 보조용언이라고 하는데, 이들은 본용언을 보조하는 용도로 쓰인다. 아래 예문에서 본용언과 보조용언 그리고 보조동사, 보조형용사를 볼 수 있다. 본용언과 보조용언을 연결하는 어미를 보조적 연결어미라고 부른다. 이 용어는 2권 어미 편에서 이야기하겠다.

- 사람이 의자에 앉아 있다.
- 내가 남은 과자를 먹어 버렸어.
- 너를 아직 못 잊어 하더라.

- 나는 시원한 물 한잔 마시고 싶다.
- 지금 기분이 좋지 않다.
- 경치 참 멋지기도 하다.

첫 번째부터 세 번째 문장의 '있다, 버렸어, 하더라'가 보조동사이고, 그 앞에 있는 '앉아, 먹어, 잊어'가 본용언인 동사이다. 또 네 번째부터 여섯 번째 문장의 '싶다, 않다, 하다'가 보조형용사이고, 그 앞에 있는 '마시고, 좋지, 멋지기도'가 본용언인 동사와 형용사이다.

◦구

둘 이상의 단어가 모여 마치 한 단어처럼 기능을 하는 단위를 구라고 부른다. 구가 명사처럼 기능하면 명사구, 동사처럼 기능하면 동사구, 형용사처럼 기능하면 형용사구, 관형사처럼 기능하면 관형사구, 부사처럼 기능하면 부사구라고 부른다. 각 구의 형태를 보이면 아래와 같다. 밑줄 친 부분이 괄호 속에 제시한 구에 해당한다.

- 착한 동생이 나를 대신해서 심부름을 했다. (명사구)
- 우리는 그들과 즐거운 시간을 보냈다. (명사구)
- 언니는 드라마를 보고 있다. (동사구)
- 절대로 거짓말을 하지 마라. (동사구)

- 너는 얼굴이 참 예쁘구나. (형용사구)
- 하늘이 맑고 파랗다. (형용사구)
- 우리 한국의 미래는 밝다. (관형사구)
- 그는 아주 새 것만 좋아한다. (관형사구)
- 우리는 연습을 정말 열심히 했다. (부사구)
- 그는 아주 멀리 이사했다. (부사구)

○ 절

주어와 서술어를 갖추었으나 독립한 문장으로 쓰이지 못하고 다른 문장의 한 성분으로 쓰이는 단위를 절이라고 부른다. 절에는 명사처럼 쓰이는 명사절, 관형사처럼 체언을 꾸미는 관형절, 부사처럼 용언을 꾸미는 부사절이 있다. 각 절의 형태를 보면 아래와 같다. 밑줄 친 부분이 괄호 속에 제시한 절에 해당한다.

- 우리가 이겼음이 분명하다. (명사절)
- 네가 여기서 일하기는 쉽지 않겠다. (명사절)
- 네가 결혼했다는 소식을 들었다. (관형절)
- 내가 도착할 때쯤 그도 도착했다. (관형절)
- 피부가 눈이 부시게 희구나. (부사절)
- 손님이 오셨다고 알려 드려라. (부사절)

위 세 종류의 절은 모두 다른 문장에 포함되어 있다. 이런 절을 안긴문장이라고 부르는데 이에 관해서는 3장에서 다시 이야기하겠다.

| 문장 이야기

문장이란 서술어를 중심으로 여러 성분이 연대하여 하나의 통일된 생각을 만들어 내는 단어의 결합체이다. 여기서 서술어를 중심으로 여러 성분이 연대한다고 했는데 이는 한국어 문장의 특징 중에 가장 기본적인 특징이다.
한국어는 서술어가 문장을 만드는 데 어떤 요소를 요구하는지에 따라서 문장의 형식이 결정된다. 서술어가 하나의 성분만 요구하는 경우에는 주어가 그 하나의 요소가 된다. 이 경우, 주어와 서술어로 이루어진 문장을 만들게 된다. 서술어가 두 가지 성분을 요구하는 경우에는 주어와 목적어 또는 주어와 보어 또는 주어와 필수부사어가 필요한 두 요소가 된다. 이 경우, 주어와 목적어와 서술어로 이루어진 문장이 될 수도 있고, 주어와 보어와 서술어로 이루어진 문장이 될 수도 있고, 주어와 필수부사어와 서술어로 이루어진 문장이 될 수도 있다. 마지막으로 서술어가 세 가지 성분을 요구하는 경우도 있는데 이 경우에는 주어와 목적어와 필수부사어와 서술어로 이루어진 문장이 된다. 이런 문장 형식에 대해서는 차차 설명할 것이므로 여기서는 더 이야기하지 않겠다.
이처럼 서술어를 중심으로 주어와 목적어와 보어와 필수부사어가 연대하여 하나의 문장을 이루어 가는 원리를 우리는 문법이라고 한다. 물론 문장을 구성하는 성분으로 주어, 목적어, 보어, 필수부사어, 서술어 외에 관형어와 부사어라는 요소가 있고, 독립어라는 요소도 있기 때문에 문법 공부에서는 이런 성분을 모두 공부하기로 한다. 이렇게 '생각이나 감정을 완결된 한 단위로 표현해 내는 최소의 단위'를 문장이라고 말하고 이런 문장을 만드는 원리를 문법이라고 말한다.

| 시 문장

일반적인 문장은 독자에게 설명하고 주장하여 독자를 이해시키거나 설득하는 목적이 중요하기 때문에 앞에서 설명한 문장 구성 원리를 충실히 따르면서 정확하게 그리고 각 성분이 끊어짐 없이 이어져서 종결되도록 적는다. 그러나 시 문장은 설득보다는 공감을 주목적으로 하기 때문에 독자들이 정서적으로 받아들일 수 있도록 적는다. 필요하다면 문장성분의 생략이나 문장 형태의 변형을 자유롭게 도모한다. 그래서 시 문장에서 문법을 생각한다는 것은 조금 특별한 일이 될 수 있다.

다음 시는 한 문장을 세 개 또는 네 개의 행으로 나누어 적어 놓기도 하고 한 문장을 두 개의 연으로 나눠 적기도 했다. 이 시의 문장을 잠깐 검토해 보자.

꽃과 언어

문덕수

언어는
꽃잎에 닿자 한 마리 나비가
된다.

언어는
소리와 뜻이 찢긴 깃발처럼
펄럭이다가
쓰러진다.

꽃의 둘레에서
밀물처럼 밀려오는 언어가
불꽃처럼 타다간
꺼져도,

어떤 언어는
꽃잎을 스치자 한 마리 꿀벌이
된다.

이 시는 세 개의 문장으로 되어 있다. 일반 문장 형식으로 이 시를 적는다면 아래와 같을 것이다.

• 언어는 꽃잎에 닿자 한 마리 나비가 된다. 언어는 소리와 뜻이 찢긴 깃발처럼 펄럭이다가 쓰러진다. 꽃의 둘레에서 밀물처럼 밀려오는 언어가 불꽃처럼 타다간 꺼져도, 어떤 언어는 꽃잎을 스치자 한 마리 꿀벌이 된다.

이렇게 세 문장을 죽 이어서 적어 놓으면 별다른 정서가 느껴지지 않는다. 어쩌면 관찰문을 읽는 것처럼 느낄 수도 있다. 그러나 문장들을 위의 시처럼 행과 연으로 구분해 놓고 읽으면 훨씬 많은 느낌이 들고 생각을 깊게 하는 효과가 생긴다. 이것이 아마 시 형식이 갖는 마력이 아닐까 생각한다. 이는 시가 독자로 하여금 생각하는 여백을 주는 형식이기 때문일 것이다. 시 문장이 행과 연을 이용해서 일반 문장과 다른 형태로 나열되지만 기본적으로 문법에 맞추어 문장을 구성한다는 점에는 변함이 없다. 그래서 시 문장에서도 문법의 문제를 고려하지 않으면 안 되는 것이다.

부두에서

김춘수

바다에 굽힌 사나이들,
하루의 노동을 끝낸
저 사나이들의 억센 팔에 안긴

깨지지 않고 부서지지 않은
온전한 바다,
물개들과 상어 떼가 놓친
그 바다,

이 시에는 문장이랄 것이 없다. 주어와 서술어가 나타나 있지 않다. 오로지 바다를 수식하는 어구로 가득 차 있다. 그러나 우리는 이것들만으로도 시인이 무슨 이야기를 하고 있는지 헤아릴 수 있다. 이 시를 보면 완전한 문장을 구성하지 못한 상태이지만 바다를 꾸미는 관형어를 통해서 이 바다가 어떤 바다인지 그리고 이 바다에서 일을 하는 사나이들이 어떤 사나이들인지 알 수 있다. 그래서 우리는 문장으로 완성되지 않은 시에서도 독자가 스스로 찾아서 정서적 공감을 이룰 수 있게 된다. 이것이 시가 독자에게 주는 자유로운 추측과 상상의 맛이고, 이 맛을 찾아내어 공감하는 것이 독자가 할 일인 것이다. 이런 맛을 놓치지 않고 시인이 표현하고자 한 깊은 생각의 맛을 모두 느끼려면 바다를 규정하는 관형어가 주는 의미를 알아야 한다.

낙화

조지훈

꽃이 지기로서니
바람을 탓하랴

주렴 밖에 성긴 별이
하나 둘 스러지고

귀촉도 울음 뒤에
머언 산이 다가서다.

촛불을 꺼야 하리
꽃이 지는데

꽃 지는 그림자
뜰에 어리어

하이얀 미닫이가
우련 붉어라.

묻혀서 사는 이의
고운 마음을

아는 이 있을까
저어하노니

꽃이 지는 아침은
울고 싶어라.

여러분은 이 시를 읽을 때 어디 하나 막히는 곳 없이, 그 무엇에도 방해 받지 않고 읽을 수 있었을 것이다. 그렇게 시를 자연스럽게 읽게 해 준 힘이 바로 문법적 구성에 있음을 이해하여야 한다. 이 시에 사용된 모든 문장은 각 성분이 가장 간결한 모습으로 가장 알맞은 위치에 자리를 잡고 있다. 이 시에 쓰인 조사와 어미 중에서 그 기능과 어울리지 않는 것이 없다. 우리는 이렇게 문법적으로 완벽한 문장으로 시를 쓴 작가에게 감사해야 할 것이다. 물론 시에 쓰인 어휘의 아름다움은 별개로 하고 말이다. 시의 문장에서 문법적 완성도가 중요한 이유를 이 시가 증명하고 있다.

2장

문장의 형식과 성분

문장의 형식

시에 적힌 문장을 읽으면서 문장이 어떤 형식인지 눈여겨보는 것은 시를 잘 이해하는 데 무척 도움이 된다. 문장의 형식을 본다는 것은 서술어를 중심으로 하여 문장의 구성을 살펴보는 것과 같아서 의미의 흐름을 파악하기 쉽기 때문이다. 한국어는 서술어가 가장 끝에 나오는 구조이므로 자칫 서술어의 존재를 망각하고 앞에 있는 단어와 성분에 눈이 팔리기 쉽다. 그러나 노련한 독자라면 마지막에 나오는 서술어를 중심으로 문장을 이해하려 할 것이다.

한국어의 문장 형식은 서술어를 중심으로 형성된다. 문장 형식을 결정하는 것은 서술어가 몇 개의 자리를 필요로 하는가에 의존한다. 여기서 몇 개의 자리란 서술어에 필요한 필수성분의 수를 의미한다. 한 자리 서술어는 서술어에 하나의 성분 곧 주어만 있으면 완성되는 문장 형식에 쓰이는 서술어이다.

두 자리 서술어는 주어와 목적어 또는 주어와 보어, 주어와 필수부사어의 두 가지 성분이 있어야 완성되는 문장 형식에 쓰이는 서술어를 가리킨다. 그리고 세 자리 서술어는 주어와 목적어와 필수부사어의 세 성분이 있어야 완성되는 문장 형식에 쓰이는 서술어를 가리킨다. 한국어 문장에는 서술어를 중심으로 세 가지의 문장 형식(이를 문형이라고 한다)이 있다. 서술어가 몇 개의 성분을 필요로 하는지에 따라서 문형을 구별한다.

○ 한 자리 서술어 문장

주어만 있으면 서술어의 의미가 충족되어 문장이 완성되는 형식의 문장을 일컫는다. 서술어가 형용사인 경우에는 대체로 한 자리 서술어 문장이 된다. 동사 중에서는 자동사 서술어가 주로 한 자리 서술어 문장을 쓰게 된다. 아래 예문이 한 자리 서술어 문장의 전형이라 할 수 있다.

- 아이가 귀엽다. (주어+서술어 … 형용사 서술어)
- 사람이 걸어간다. (주어+서술어 … 자동사 서술어)

위 예문에 주어를 만들기 위해서 조사 '가'와 '이'가 쓰인 점을 염두에 두기 바란다.

꽃

박두진

이는 먼
해와 달의 속삭임
비밀한 울음.

한 번만의 어느 날의
아픈 피 흘림.

먼 별에서 별에로의
길섶 위에 떨궈진
다시는 못 돌이킬
엇갈림의 핏방울.

꺼질 듯
보드라운
황홀한 한 떨기의
아름다운 정적.

펼치면 일렁이는
사랑의
호심(湖心)아

이 시의 주어는 '이는'이다. 첫째 연에서 주어가 제시된 후 둘째 연부터 넷째 연까지 주어가 생략되었다. 첫째 연의 주어를 그대로 쓰고 있기 때문이다. 그런데 첫째 연에 서술어가 안 보인다. 물론 서술어가 있지만 서술격조사가 생략되어 서술어처럼 보이지 않을 뿐이다. '속삭임'과 '울음'에 서술격조사 '이다'를 붙이면 문장이 완성됨을 알 수 있다. '속삭임' 뒤에 서술격조사 '이다'의 연결형 '이고'를 붙이고, '울음'에는 서술격조사 '이다'를 붙이면 한 자리 서술어 문장 두 개를 연결한 하나의 문장이 된다.

- 이는 먼 해와 달의 속삭임(이고), 비밀한 울음(이다).

둘째 연, 셋째 연, 넷째 연도 모두 서술격조사를 붙이면 한 자리 서술어 문장이 된다.

- (이는) 한 번만의 어느 날의 아픈 피 흘림(이다).
- (이는) 먼 별에서 별에로의 길섶 위에 떨궈진 다시는 못 돌이킬 엇갈림의 핏방울(이다).
- (이는) 꺼질 듯 보드라운 황홀한 한 떨기의 아름다운 정적(이다).

이렇게 문장 형식을 검토해 보면 자연스럽게 문장의 각 성분에 대한 인식을 새롭게 할 수 있어서 시를 좀 더 깊이 이해할 수 있게 된다. 이 시에 쓰인 한 자리 서술어 문장은 모두 서술격조사 '이다'를 붙인 서술어가 쓰였다. 형용사 서술어, 자동사 서술어와 함께 '이다' 서술어도 한 자리 서술어 문장을 만드는 서술어이다.

○두 자리 서술어 문장

주어만으로는 문장이 완성될 수 없어 주어 외에 목적어가 더 필요한 서술어가 있고, 보어가 더 필요한 서술어가 있고, 필수부사어가 더 필요한 서술어가 있다.
여기서 필수부사어란 부사어이지만 서술어의 서술을 완성하려면 꼭 필요한 부사어라는 의미이다. 한국어에 있는 독특한 용어라고 말할 수 있다. 도착지가 필요한 동사, 동작의 대상이 필요한 동사 등에는 반드시 도착지와 동작의 대상이 있어야 서술이 완성되기 때문에 여기에 쓰이는 부사어가 필수부사어가 된다. 특히 피동문을 만들 때에 필수부사어가 반드시 필요하다.
아래 예문이 두 자리 서술어 문장의 전형이라 할 수 있다.

- 우리는 영화를 본다. (주어+목적어+서술어 … 타동사 서술어)
- 그가 의사가 되었다. (주어+보어+서술어 … 자동사 서술어)
- 그건 사랑이 아니야. (주어+보어+서술어 … 형용사 서술어)
- 아이들은 학교에 다니죠. (주어+필수부사어+서술어 … 자동사 서

술어)

- 내 글은 주로 청소년들에게 읽힌다. (주어+필수부사어+서술어 … 피동사 서술어)
- 영수가 차에 부딪혔다. (주어+필수부사어+서술어 … 피동사 서술어)

타동사가 목적어를 취한다는 점은 모두가 잘 알고 있을 것이다. 목적어라는 뼈대를 세우기 위해서 조사 '를'이 쓰였다. 그리고 자동사 '되다'와 형용사 '아니다'가 보어를 취한다는 점도 알고 있으리라 생각한다. 한국어에서 보어를 취하는 서술어는 동사 '되다'와 형용사 '아니다'뿐이다. 보어라는 뼈대를 세우기 위해서 조사 '가'와 '이'가 쓰였다.

'학교에 다니다'를 전통적으로 분석하면 부사어 '학교에'가 자동사 '다니다'를 한정하는 역할을 한다고 할 수 있다. 그런데 새로운 문법 이론으로 '학교에'가 부사어이지만 이것이 없으면 '다니다'의 의미가 완성되지 않는다는 점에서 반드시 필요한 부사어로 판단한다. 필수부사어라는 뼈대를 세우기 위해서 조사 '에'가 쓰였다. '청소년들에게 읽힌다'와 '차에 부딪혔다'는 모두 피동사에 부사어가 쓰인 형태인데, 이들 피동사 서술어의 의미를 완성하려면 반드시 부사어 '청소년들에게'나 '차에'가 필요하다. 그래서 이 부사어를 필수부사어로 본다. 이 경우에는 부사격조사 '에게'와 '에'가 사용된 점을 인식하여 두자.

가난한 사랑 노래

신경림

가난하다고 해서 외로움을 모르겠는가,
너와 헤어져 돌아오는
눈 쌓인 골목길에 새파랗게 달빛이 쏟아지는데.
가난하다고 해서 두려움이 없겠는가,
두 점을 치는 소리
방범대원의 호각 소리, 메밀묵 사려 소리에
눈을 뜨면 멀리 육중한 기계 굴러가는 소리.
가난하다고 해서 그리움을 버렸겠는가.
어머님 보고 싶소 수없이 뇌어 보지만,
집 뒤 감나무에 까치밥으로 하나 남았을
새빨간 감 바람 소리도 그려 보지만.
가난하다고 해서 사랑을 모르겠는가,
내 볼에 와 닿던 네 입술의 뜨거움,
사랑한다고 사랑한다고 속삭이던 네 숨결,
돌아서는 내 등 뒤에 터지던 네 울음.
가난하다고 해서 왜 모르겠는가,
가난하기 때문에 이것들을
이 모든 것들을 버려야 한다는 것을.

이 시에는 목적어를 갖춘 두 자리 서술어 문장이 주를 이루고 있다. 서술어 '모르다, 버리다'는 목적어를 요구하는 서술어이기 때문에 당연히 두 자리 서술어 문장을 만들었다. 하나하나 살펴보자.

- 외로움을 모르겠는가 (목적어+서술어) … 주어(내가) 생략됨
- 너와 헤어져 (필수부사어+서술어) … 주어(내가) 생략됨
- 두려움이 없겠는가 (주어+서술어) … 필수부사어(내게) 생략됨
- 두 점을 치는 (목적어+서술어) … 주어(시계가) 생략됨
- 눈을 뜨면 (목적어+서술어) … 주어(내가) 생략됨
- 그리움을 버렸겠는가 (목적어+서술어) … 주어(내가) 생략됨
- 바람 소리도 그려 보지만 (목적어+서술어) … 주어(내가) 생략됨
- 사랑을 모르겠는가 (목적어+서술어) … 주어(내가) 생략됨
- 볼에 와 닿던 (필수부사어+서술어) … 피수식어가 주어임

○ 세 자리 서술어 문장

목적어가 필요한 서술어 중에서 특별히 필수부사어가 없으면 의미가 완성되지 않는 동사가 있다. 영문법에서 간접목적어에 해당하는 성분이 한국어에서는 부사어라는 성분으로 번역되는데 이 부사어를 필수부사어로 본다. 그 밖에도 사동문에 사용되는 부사어도 필수부사어로 인정된다. 드물게 피동사에 목적어와 필수부사어가 필요한 경우가 있다. 아래 예문이 세 자리 서술어 문장의 전형이라 할 수 있다.

- 엄마가 나에게 용돈을 주셨다. (주어+필수부사어+목적어+서술어 … 타동사 서술어)
- 그가 책을 가방에 넣었다. (주어+목적어+필수부사어+서술어 … 타동사 서술어)
- 나는 선생님에게 칭찬을 받았다. (주어+필수부사어+목적어+서술어 … 타동사 서술어)
- 영수가 화살을 과녁에 맞혔다. (주어+목적어+필수부사어+서술어 … 사동사 서술어)
- 엄마가 아이에게 밥을 먹인다. (주어+필수부사어+목적어+서술어 … 사동사 서술어)
- 나는 행인에게 발을 밟혔다. (주어+필수부사어+목적어+서술어 … 피동사 서술어)

타동사나 사동사는 모두 목적어를 취하는 서술어이다. 그런데 목적어만으로는 의미가 완성되지 않는 경우가 있다. 그래서 부사어가 쓰이는데 이 부사어를 필수부사어로 판단한다. 위 예문에서 '나에게, 가방에, 선생님에게, 과녁에, 아이에게, 행인에게' 같은 부사어가 없다면 타동사나 사동사의 의미가 완성되지 않기 때문이다. 따라서 이들 부사어도 문장의 뼈대로 보고 필수부사어라고 한다. '밟혔다' 같은 피동사 서술어에 목적어를 취하는 경우는 아주 특수한 경우이다. 원래 '발이 밟히다'라고 해야 하는데 '발을 밟히다'를 쓰기도 한다.

내 집

천상병

누가 나에게 집을 사 주지 않겠는가? 하늘을 우러러 목 터지게 외친다. 들려다오 세계가 끝날 때까지…… 나는 결혼식을 몇 주 전에 마쳤으니 어찌 이렇게 부르짖지 못하겠는가? 천상의 하나님은 미소로 들을 게다. 불란서의 아르투르 랭보 시인은 영국의 런던에서 짤막한 신문광고를 냈다. 누가 나를 남쪽 나라로 데려가지 않겠는가. 어떤 선장이 이것을 보고, 쾌히 상선에 실어 남쪽 나라로 실어 주었다. 그러니 거인처럼 부르짖는다. 집은 보물이다. 전 세계가 허물어져도 내 집은 남겠다……

이 시에 밑줄 친 문장이 세 자리 서술어 문장이다. 서술어 '사 주다'와 '데려가다'가 목적어와 필수부사어를 가지고 있어서 주어와 함께 세 자리 서술어 문장이 되었다. 각 성분을 분석해 보면 아래와 같다.

- 누가 나에게 집을 사 주지 않겠는가? (주어+필수부사어+목적어+서술어 … 타동사 서술어)
- 누가 나를 남쪽 나라로 데려가지 않겠는가. (주어+목적어+필수부사어+서술어 … 타동사 서술어)

필수부사어가 있는 타동사가 세 자리 서술어 문장을 구성하게 됨을 알 수 있다. 이런 타동사에는 '주다, 데려가다, 보내다, 넣다, 말하다, 알리다, 전하다' 등 상대와 목표지가 필요한 타동사가 속해 있다. 사동사나 피동사도 세 자리 서술어 문장을 만드는 경우가 있다는 점은 앞에서 설명한 바와 같다.

○ 문장의 뼈대와 구성

문장은 서술어의 뜻을 완전하게 구현하는 데 반드시 필요한 필수 성분들의 연합체이다. 그리고 그 필수 성분이 주어와 목적어와 보어와 필수부사어라는 점을 설명했다. 이것들이 바로 문장의 뼈대를 구성한다. 이 뼈대들의 자리를 지정하고 기능을 확정하는 것이 바로 조사라는 점도 이해했을 것이다. 물론 조사에는 문장의 필수 성분이 되는 뼈대를 구성하는 데만 쓰이지 않고 이 뼈대를 수식하거나 한정하는 부수적인 성분에 사용되는 것도 있다. 또 같은 조사가 뼈대를 구성하는 데 사용되기도 하고 부수적인 성분에 두루 사용되기도 한다. 이런 조사의 쓰임에 대해서는 뒤에 자세히 이야기할 것이다.

한 가지 덧붙일 것은 문장의 뼈대를 구성하는 일에는 어미가 아무 역할을 하지 않는다는 점이다. 어미는 뼈대를 건드리지 않는다는 말을 유념해 두자. 우리가 쓰는 문장은 뼈대로만 이루어지지 않는다. 아래 시는 각 서술어를 완성시키는 뼈대로 된 문장이 어떻게 하나의 커다란 문장으로 통합되는지 잘 보여 준다. 여기에서 어미의 강력한 기능을 이해하게 될 것이다.

비 개인 여름 아침

김광섭

비가 개인 날
맑은 하늘이 못 속에 내려와서
여름 아침을 이루었으니
녹음이 종이가 되어
금붕어가 시를 쓴다

이 시는 한 문장으로 되어 있지만 여러 문장이 연결된 구조이다. '내려와서, 이루었으니, 되어, 쓴다'의 네 서술어가 연결된 문장인 것이다. '비가 개인 날'은 부사어로서 뒤에 오는 문장을 한정하는 기능을 할 뿐이므로 문장의 뼈대에 해당하지 않는다. 위 네 서술어를 기준으로 하여 문장을 완성해 보면 아래와 같다.

• 맑은 하늘이 못 속에 내려왔다.
• 맑은 하늘이 여름 아침을 이루었다.

• 녹음이 종이가 되었다.
• 금붕어가 시를 쓴다.

이 네 개의 독립된 문장이 어미라는 매개를 통해서 연결되어 하나의 큰 문장으로 만들어진 것을 알 수 있다. 여기에 쓰인 어미는 '내려와서'의 '-아서', '이루었으니'의 '-으니', '되어'의 '-어'이고, 문장을 마무리하기 위하여 '쓰다'에 종결어미 '-ㄴ다'가 쓰였다. 여기서 우리는 어미가 문장의 뼈대를 구성하지 않고 완성된 뼈대를 다른 뼈대에 연결하거나 수식하고 한정하거나 문장을 종료하는 기능을 하는 요소임을 알 수 있다. 그래서 우리는 뼈대를 이루는 데 참여하는 조사와 뼈대를 연결하고 한정하는 어미를 공부해야 한다.

문장의 성분

시를 읽으면서 문장의 뼈대를 알아볼 수 있다면 시의 주제를 파악하는 데도 퍽 유리해진다. 문장의 흐름은 뼈대를 통로로 삼아 이어지기 때문이다. 문장의 뼈대는 성분이라는 말로 분석된다. 그리고 그 성분 중에서 필수 성분을 뼈대로 간주한다. 필수 성분이 아닌 것은 부수 성분으로서 뼈대를 보완하는 기능을 할 것이다. 시 문장에서 필수 성분과 부수 성분을 구별하여 읽을 수 있다면 시의 흐름과 주제를 파악하는 데 도움을 받을 수 있다.

그래서 우리는 시를 심미적으로만 읽으려 하지 않고 문법적으로 읽을 필요를 느낀다. 시를 읽는다는 것은 읽는 사람이 시의 화자 또는 주어와 동일시되기 때문에 시를 분석적으로 읽게 되면 주어와 서술어가 자기 일로 받아들여질 수 있고, 주어나 서술어를 수식하는 말이 자기에게 가까이 다가올 수 있다. 그러니 자연스럽게 주어와 서술어 그리고 이것들을 수식하는 관형어와 부사어에 관심을 기울이고 이것들이 어떻게 연관되어 의미를 창조해 내는지 검토하지 않을 수 없게 된다. 결국 시를 문법적으로 읽으면서 시의 의미와 주제에 좀 더 합리적으로 접근할 수 있게 된다. 이를 위해서 문장의 뼈대인 구성 성분을 먼저 익혀 두어야 한다.
앞에서 우리는 문장성분으로 주어, 서술어, 목적어, 보어, 관형어, 부사어, 독립어가 있음을 보았고, 그것들이 시에서 어떤 모습으로 나타나는지 예를 들어 살펴보았다. 우선 각 성분의 개념을 알아 두자.

◦ 서술어

주어의 동작, 상태, 성질을 말해 주는 성분을 서술어라고 한다. 주로 용언이 서술어로 쓰이고, 체언은 서술격조사 '이다'를 붙여 서술어가 될 수 있다. 서술어에는 한 자리 서술어, 두 자리 서술어, 세 자리 서술어가 있다는 점은 앞에서 설명했다. 문법적으로는 서술어가 있으면 문장(또는 절)이 되고 없으면 문장(또는 절)이 되지 않는다.
그리고 그 서술어에 맞게 필요한 성분이 다 들어 있으면 완전한 문장이고, 일부가 생략되어 있으면 불완전한 문장이 된다. 서술어는 연결어미나 종결어미가 붙기 때문에 다양한 형태를 취하게 된다. 시인은 서술어의 어미를 잘 활용하여 자신의 섬세한 감정을 나타낼 수 있으므로 어미를 깊이 공부해야 한다.

달

김동명

달은 황혼과 함께
언제까지나 믿어도 좋을 나의 친구다.
이들밖에 실로 내 집을 찾아 주는 이는 아무도 없다.
달은 저의 가난한 친구를 위하여
백금의 모전(毛氈)을 가져다가
나의 뜰에 깔아 준다.
나는 제왕같이 그 위를 거닐며
나의 성대한 아침을 꿈꾼다.

이 시는 네 개의 문장으로 되어 있고 각 문장의 서술어는 '친구다, 없다, 준다, 꿈꾼다'이다. 그런데 서술어의 형태를 보면 제각기 다른 점이 보인다. '친구다'는 체언인 명사 '친구'에 어미 '-다'가 붙었고, '없다'는 형용사 '없다'가 그대로 쓰였고, '준다'와 '꿈꾼다'는 동사 '주다'와 '꿈꾸다'에 어미 '-ㄴ다'가 붙었다. '-다, -ㄴ다'를 모두 종결어미라고 부른다. 문장을 끝낼 때 붙이는 어미이기 때문이다.
종결어미를 가진 네 서술어 외에도 이 시에는 다른 서술어도 있다. '믿어도 좋을, 내 집을 찾아 주는, 백금의 모전을 가져다가, 나는 그 위를 거닐며'에 쓰인 '좋을, 찾아 주는, 가져다가, 거닐며'도 절의 서술어에 해당한다. 이것들 중에서 '좋을'과

'찾아 주는'은 관형사형 어미를 취했기 때문에 관형절이 되고, 뒤의 '가져다가'는 종속적 연결어미를 취했기 때문에 종속절이 된다. '거닐며'는 '꿈꾼다'와 대등하게 서술어 구실을 하지만 종결어미가 아닌 연결어미를 가지고 있으므로 대등절로서 뒤의 대등절과 어우러져 하나의 문장을 이룬다. 서술어는 어미에 따라서 관형절이 되기도 하고 종속절이나 대등절이 되기도 하고 드물게는 부사절이 되기도 하는데 이에 관해서 뒤에 설명하기로 한다.

| 서술어에 있는 문법 요소

서술어의 어미에는 몇 가지 문법 요소가 있다. 서법을 나타내는 요소, 시제를 나타내는 요소, 높임을 나타내는 요소가 그것이다. 아래 시에 쓰인 서술어의 문법 요소를 살펴보자.

답청踏青

정희성

풀을 밟아라
들녘에 매 맞은 풀
맞을수록 시퍼런
봄이 온다.
봄이 와도 우리가 이룰 수 없어

봄은 스스로 풀밭을 이루었다.
이 나라의 어두운 아희들아
풀을 밟아라.
밟으면 밟을수록 푸르른
풀을 밟아라.

이 시에 쓰인 서술어는 아래의 세 가지이다.

- 밟아라
- 온다
- 이루었다

잘 아는 바와 같이 '밟아라'의 어미 '–아라'가 명령을 나타내는 종결어미이면서 상대를 아주 낮추는 어미이다. '온다'의 어미 '–ㄴ다'는 현재 시제로 서술하는 종결어미이다. '이루었다'에는 과거 시제를 나타내는 선어말어미 '–었–'과 서술을 나타내는 종결어미 '–다'가 들어 있다. 이로써 이 시에 쓰인 서술어에는 서법으로 평서법과 명령법, 시제로 현재 시제와 과거 시제, 높임법으로 아주낮춤의 문법 요소가 들어 있음을 알 수 있다.

그 사람에게

신동엽

아름다운
하늘 밑
너도야 왔다 가는구나
쓸쓸한 세상세월
너도야 왔다 가는구나.

다시는 못 만날지라도 먼 훗날
무덤 속 누워 추억하자.
호젓한 산골길서 마주친
그 날, 우리 왜
인사도 없이
지나쳤던가, 하고.

이 시에 쓰인 서술어는 아래와 같다.

- 가는구나
- 추억하자

서술어 '가는구나'는 '가다'에 종결어미 '-는구나'가 붙은 형태인데 이 어미로 감탄을 나타낸다. 그리고 '추억하자'는 어미 '–자'가 붙은 것으로 이 어미는 상대를 아주 낮추는 방식으로 청유의 뜻을 나타낸다. 이 시의 서술어에는 서법으로 감탄법과 청유법, 높임법으로 아주낮춤이 사용되었음을 알 수 있다.

| 문장의 어순

문장성분이 배열되는 순서를 어순이라고 말한다. 국어 문장은 맨 앞에 주어가 오고 맨 뒤에 서술어가 온다. 이 어순은 변하지 않는다. 목적어, 보어, 필수부사어는 주어와 서술어 사이에 온다. 관형어는 언제나 체언 앞에 오기 때문에 주어 앞에 관형어가 올 수 있고, 목적어나 보어나 필수부사어 앞에 관형어가 올 수 있다. 그리고 부사어는 대체로 서술어 앞에 온다.

이런 어순은 자주 바뀔 수 있다. 조사만 정확하게 쓰면 어순이 바뀌어도 의미를 파악하는 데 어려움이 없기 때문이다. 경우에 따라서는 조사를 생략한 상태에서도 어순을 바꿀 수 있다. 그러나 서술어 뒤에 주어나 목적어나 부사어를 두는 경우가 있다. 이런 기법을 도치법이라고 하는데 특히 시에서 자주 나타난다. 다음 시는 도치법이 잘 드러난 시이다. 도치법을 사용하지 않았다면 너무나 평범한 시가 될 뻔했다.

누군가 나에게 물었다

김종삼

누군가 나에게 물었다. 시가 뭐냐고
나는 시인이 못 되므로 잘 모른다고 대답하였다.
무교동과 종로와 명동과 남산과
서울역 앞을 걸었다.
저녁녘 남대문 시장 안에서
빈대떡을 먹을 때 생각나고 있었다.
그런 사람들이
엄청난 고생 되어도
순하고 명랑하고 맘 좋고 인정이
있으므로 슬기롭게 사는 사람들이
그런 사람들이
이 세상에서 알파이고
고귀한 인류이고
영원한 광명이고
다름 아닌 시인이라고.

이 시는 아래의 두 문장으로 이루어졌는데 두 문장이 모두 도치법 문장이다.

- 누군가 나에게 물었다, 시가 뭐냐고.

- 저녁녘 남대문 시장 안에서 빈대떡을 먹을 때 생각나고 있었다. 그런 사람들이 엄청난 고생되어도 순하고 명랑하고 맘 좋고 인정이 있으므로 슬기롭게 사는 사람들이 그런 사람들이 이 세상에서 알파이고 고귀한 인류이고 영원한 광명이고 다름 아닌 시인이라고.

첫 번째 문장은 '누군가 나에게 시가 뭐냐고 물었다.'의 어순이 바뀐 형태이다. 부사어가 서술어 뒤에 온 것이다. 물음의 내용을 궁금하게 만들기 위한 기법이다. 두 번째 문장의 서술어는 '생각나고 있었다'이고 뒤에 적힌 부사절은 서술어의 부사어이다. 여기에서도 서술어 뒤에 부사어가 오게 하는 도치법이 사용된 것이다. 시가 뭐냐고 물은 것에 대해서 시인이 자신은 시인이 못 된다고 생각하여 대답을 거부한 뒤에 남대문 시장에서 열심히 치열하게 살고 있는 상인들을 보면서 이 사람들이 진정한 시인이라는 생각을 하게 된 상황을 보여 주는 시라고 생각한다.

○ 주어

서술어의 주체가 되는 문장성분을 주어라고 한다. 다시 말하면 서술어는 주어의 상태나 동작을 표현하는 성분인 것이다. 주어는 체언에 주격조사를 붙여 만든다. 물론 주격조사가 아니라도 그와 같은 기능을 할 수 있는 조사, 곧 보조사 중에서 일부는 주어를 만들 수 있다. 체언에 속하는 품사는 명사, 대명사, 수사가 있으므로 이것들에 주격조사가 붙으면 주어가 되는 것이다. 주어가 구나 절로 이루어진 경우가 있는데 이런 주어를 명사구나 명사절이라고 부른다. 한국어에서는 주격조사를 자주 생략하는데 때로는 주어 자체도 생략하는 경우가 많다. 특히 시에서는 이런 생략이 빈번하게 나타난다.

- 우리가 서로 사랑하자. (주어: 우리가, 서술어: 사랑하자)
- 아름다운 금강산이 우리를 부른다. (명사구 주어: 아름다운 금강산이, 서술어: 부른다)
- 상대를 배려하기가 그리 어려운가? (명사절 주어: 상대를 배려하기가, 서술어: 어려운가)

용두 산행

김동원

<u>가랑잎</u>
발목 덮는
산에 올라보니

<u>타는 저녁놀</u>
하도 고와

넋을 놓았어라

허기사 내 일월(日月)도
폭 삭으면 저리
고운 물 우러나려나.

아뿔사
잠시 무아경에
하산길이
아득하구나

이 시를 문법적으로 분석해 보면 주어에 관한 여러 형태가 있음을 알게 된다. '가랑잎 발목 덮는'은 주어가 '가랑잎'인데 주격조사 '이'가 생략된 형태이다. '타는 저녁놀 하도 고와'의 주어는 '타는 저녁놀'인데 이것이 바로 명사구로 된 주어이다. 여기에도 주격조사 '이'가 생략되었다. '저리 고운 물 우러나려나'의 주어는 '저리 고운 물'이다. 명사구로 된 주어인데 주격조사 '이'가 생략되었다. '하산길이 아득하구나'에서 비로소 주격조사를 제대로 갖춘 주어가 나타났다. 주격조사의 생략은 시의 글자 수를 맞추기 위한 방편으로도 이용된다.

가을엔

김인숙

바람이 낙엽을 쓸어가고 있지.
잉태의 꿈이 없다면,
잉태의 고통이 없다면 인생은 부표 같겠지.

언제나 자신을 돌아보기는 어렵고,
누군가를 사랑하기는 더더욱 어렵지.

스스로 지는 낙엽이
기다림으로 밤을 새우듯
온몸 흔드는 그리움으로
별을 노래해야지.

세월의 흐름 안타까워하지 않고
가장 멋진 삶에 입 맞추며
봄이 오면 다시 집을 지어야지.

이 가을에 풋풋한 가슴 열어
오랜 품안의 사랑 천천히 다독여야지.

이 시에는 주어가 무수히 많이 있다. 이 중에서 주격조사를 붙인 것도 있지만 생략한 것도 있다. 주격조사가 있으나 없으나 시를 읽고 이해하는 데는 별로 영향을 주지 않는다. 그만큼 주격조사 생략이 우리에게 익숙한 일이다. 이 시에는 명사절로 이루어진 주어가 있다. '언제나 자신을 돌아보기는 어렵고, 누군가를 사랑하기는 더더욱 어렵지.'에 쓰인 '언제나 자신을 돌아보기는'과 '누군가를 사랑하기는'이 명사절로 된 주어이다. '언제나 자신을 돌아본다'와 '누군가를 사랑한다'라는 두 문장의 서술어 종결어미 '-ㄴ다' 대신에 명사 전성어미 '-기'를 붙여 명사절을 만든 것이다.

사랑

한용운

봄물보다 깊으니라
가을 산보다 높으니라
달보다 빛나리라
돌보다 굳으리라
사랑을 묻는 이 있거든
이대로만 말하리

이 시는 주어의 생략을 극적으로 보여 준다. 서술어 '깊으니라, 높으니라, 빛나리라, 굳으리라'의 주어는 제목에 쓰인 '사랑'일 것이다. 즉 '사랑은'이 생략된 문장이다. '이대로만 말하리'의 주어도 생략되었다. 이 문장의 주어는 '나는'이 될 것 같다. 시 전체에서 주어가 생략되었지만 우리는 각 문장의 주어를 유추할 수 있다. 이처럼 특히 간결한 문장을 선호하는 시에서는 주어가 생략되는 일이 잦다.

○ 목적어

서술어 중에는 목적어가 없으면 그 의미가 완성되지 않는 것들이 있다. 예를 들면 타동사 '먹다'는 먹는 사물을 제시하지 않으면 먹는 행위가 완성되지 않는다. '먹다'의 대상이 되는 체언을 목적어라 부른다. 목적어에는 목적격조사가 붙어야 하는데 자주 생략되고 때로는 목적어 자체가 생략되기도 한다. 목적어가 되는 품사는 주로 체언인데, 명사구나 명사절이 목적어가 되기도 한다.

늪에 빠지다

한선미

습한 기운이 감돌면 소리가 난다
낮고도 간절하게 <u>발걸음을</u> 불러 세운다
천천히 조심스럽게 옷자락이 움직이고

머리카락이 춤을 추기 시작하면
한 발짝 한 발짝 내딛는다
조금씩 조금씩 발목이 조여 오고
가슴이 조여 오고
머리밑이 쭈뼛해진다
목을 움직이기가 힘이 들면서
발가락 손가락의 마디가 굳어지고
감각이 무디어져 간다
귀속이 웅웅거리고 속이
울렁거리기를 계속한다
머릿속이 서서히
하얗게 변하는 것이 느껴진다
도대체 어떻게 된 것인가

이 시에는 '발걸음을, 춤을, 목을, 울렁거리기를'처럼 목적격 조사가 붙은 목적어가 보인다. 그런데 '울렁거리기를'은 '속이 울렁거리기를'의 구성이기 때문에 명사절로 목적어가 된 형태이다. '속이 울렁거리다'가 명사 전성어미 '–기'를 붙여 명사절로 바뀐 것이다. 그리고 서술어 '내딛는다'의 목적어가 생략된 것 같다. '걸음을'이 생략된 목적어로 보인다.

○ 보어

서술어 중에는 보어가 없으면 그 의미가 완성되지 않는 것들이 있다. 예를 들면 동사 '되다'는 결과물이 제시되지 않으면 되는 행위가 완성되지 않는다. 형용사 '아니다'도 아닌 것이 제시되지 않으면 의미가 완성되지 않는다. '되다'와 '아니다'의 의미를 완성시키는 체언을 보어라고 부른다. 보어를 요구하는 서술어는 '되다'와 '아니다' 둘뿐이다.

그대가 되기 위해

김용호

대지에 봄 햇살 스며 있어
좋은 날

봄의 표정은 화사한 미소이고
봄의 향기는 꽃의 향기로
퍼져 있어 더 좋은 날

이적지 누구의
그대가 되지 못한 나는
누구의 예쁜 그대가 되기 위해

꽃의 미소를 닮아보려 한다.

서술어 '되다' 앞에 오는 '그대가'를 보어라고 부른다. 형태는 주어처럼 보이지만 '되다'의 보어인 것이다. 주어는 '나는'이다. 보어를 취하는 서술어는 두 개뿐이다. 동사 '되다'와 형용사 '아니다'가 그것이다. 보어가 있는 문장은 모두 두 자리 서술어 문장이다. 보어를 만드는 보격조사는 주격조사와 같이 '이/가'를 쓴다.

◦ 관형어

체언 앞에서 체언을 꾸미거나 한정하는 성분을 관형어라고 부른다. 체언을 꾸미는 말은 언제나 체언의 앞에 오는 것이 특징이다. 관형어로 쓰이는 단어는 관형사로 쓰이는 것들이 유일하지만 문장에서는 관형사처럼 기능하는 것들이 아주 다양하다. 체언에 관형격조사를 붙여서 관형어를 만들기도 하고, 용언에 관형사형 전성어미를 붙여서 관형어를 만들기도 한다. 관형어가 구로 된 경우가 있고 문장으로 된 경우가 있는데 이런 것을 각각 관형구와 관형절이라고 부른다.
관형어는 문장의 필수 요소가 아니므로 문장의 형식에 영향을 주지 않지만 체언을 다양하게 꾸밀 수 있다는 점에서 문장을 풍부하고 다양하게 만드는 데 매우 중요한 역할을 한다. 시는 관형어의 향연이라고 말해도 지나치지 않을 정도로 관형어를 요긴하게 활용하는 장르이다. 관형어는 체언을 수식하기 때문에 때로는 관형어로 체언을 설명하기도 한다. 그래서 관형어만으로도 자기의 뜻을 표현할 수 있다. 관형어는 시인이 표현의 독창성, 참신성을 발휘할 수 있는 결정적인 요소라고 말할 수 있다.

그런데 관형사는 몇 개 되지 않아서 체언을 다양하게 수식하는 데 제약이 따른다. 이를 극복하기 위해서 명사나 동사 또는 형용사를 활용한 관형어 만들기가 매우 중요하다. 수많은 명사에 관형격조사 '의'를 붙여 관형어를 만들 수 있고, 동사와 형용사는 관형사형 전성어미를 붙여서 쉽게 관형어로 만들 수 있기 때문에 이런 방법은 관형사의 부족을 메워 줄 수 있는 환상적인 수단이 아닐 수 없다. 그래서 시에서는 명사, 동사, 형용사를 활용한 관형어가 활발히 쓰이고 있다. 관형어의 형태를 구별하여 설명하면 아래와 같다.

- 관형사: 관형사로 쓰이는 단어는 약 50개 남짓 되는데 이것을 특성별로 구별하면 수관형사 18개 안팎, 지시관형사 16개 안팎, 성상관형사가 16개 안팎이 된다. 수관형사와 지시관형사는 체언에 어떤 특별한 느낌을 추가하지 않는다. 체언을 꾸미는 데 도움이 되는 관형사는 성상관형사인데 겨우 16개 정도이니 관형사로 체언에 창의적인 이미지를 부여하는 것은 거의 불가능하다고 볼 수 있다.

  수관형사는 사물의 수나 양을 나타내는 관형사(한, 두, 세, 서

너, 넉, 몇, 뭇, 여러, 여남은, 온갖 등) 이다.

지시관형사는 특정한 대상을 지시하여 가리키는 관형사(이, 그, 저, 요, 다른, 이런, 저런, 그런, 그까짓, 저까짓 등) 이다.

성상관형사는 사람이나 사물의 모양, 상태, 성질을 나타내는 관형사(맨, 순, 갖은, 고얀, 몹쓸, 빌어먹을, 새, 애먼, 여느 등) 이다.

앞에서 말한 대로 성상관형사만이 체언의 성질이나 상태를 특별하게 꾸며 줄 수 있다. 때문에 이런 관형사가 많으면 많을수록 표현이 풍부해지게 되는데 어떤 언어든 이런 관형사를 필요한 만큼 많이 갖추기는 쉽지 않다. 그래서 풍부한 체언 또는 동사나 형용사를 이용해서 관형어를 만드는 방법을 찾게 되는 것이다. 한국어는 체언에 관형격조사 '의'를 붙인 형태의 관형어와 동사와 형용사 어간에 관형사형 어미를 붙인 형태의 관형어가 많이 쓰인다. 전자를 체언 관형어라고 하고, 후자를 용언 관형어라고 한다.

체언 관형어는 명사, 대명사, 수사로 이루어진 체언에 관형격조사 '의'를 붙인 관형어이다. 다만 한국어에서는 관형격조사를 생략하는 것을 더 선호하는 경향이 있다. 이 경우에는 '의'가 생략된 관형어가 된다. 즉 체언이 연속해서 나오는 경우에 앞의 체언이 뒤의 체언을 꾸미는 구실을 한다. '빛의 속도, 봄의 향기, 우리의 생각'에서 '빛의, 봄의, 우리의'가 관형어인데, 관형격조사 '의'를 생략한 '빛 속도, 봄 향기, 우리 생각'이라고 써도 '빛, 봄, 우리'가 관형어로 기능한다.

용언 관형어는 동사나 형용사 어간에 관형사형 전성어미

를 붙여 체언을 꾸미게 된 관형어이다. 용언의 수만큼 많은 관형어를 만들 수 있다. '먹는 사람, 좋은 생각, 머나먼 고향, 더운 날씨' 따위에서 '먹는, 좋은, 머나먼, 더운'이 관형어이다. 용언에 관형사형 어미를 붙이는 방법은 규칙활용과 불규칙활용을 참고하기 바란다.

무서운 시간

윤동주

거 나를 부르는 것이 누구요,

가랑잎 이파리 푸르러 나오는 그늘인데,
나 아직 여기 호흡이 남아 있소.

한 번도 손들어 보지 못한 나를
손들어 표할 하늘도 없는 나를

어디에 내 한 몸 둘 하늘이 있어
나를 부르는 것이오.

일을 마치고 내 죽는 날 아침에는
서럽지도 않은 가랑잎이 떨어질 텐데……

나를 부르지 마오.

이 시에는 크고 작은 관형어가 많이 쓰였다. 이 시에 쓰인 관형어를 유형별로 보면, 관형사는 '한', 체언 관형어는 '내', 용언 관형어는 '부르는, 나오는, 못한, 표할, 없는, 둘, 부르는, 죽는, 않은, 떨어질', 관형구로 된 관형어는 '서럽지도 않은', 관형절로 된 관형어는 '나를 부르는, 이파리 푸르러 나오는, 손들어 보지 못한, 손들어 표할, 하늘도 없는, 한 몸 둘, 내 죽는, 가랑잎이 떨어질'이 있다.
이 시는 시인의 저항 정신을 강렬하게 드러내고 있다. 아직 '호흡'이 남아 있다는 것은 목숨이 살아 있다는 것이고, '하늘'이 없다는 것은 활동할 공간 또는 자유로운 조국이 없다는 뜻일 것이다. 일종의 제유법에 가까운 표현이라고 볼 수 있겠다. 특히 '일을 마치고 내 죽는 날'이라고 함으로써 그가 반드시 해야 할 일이 있음을 나타내고 있다. 그 일이 무엇인지 누구나 쉽게 짐작할 수 있을 것이다.

뒷산

신달자

외로울 적에

마음 답답할 적에
뒷산에 올라가 마음을 벗는다
나무마다 하나씩 마음을 걸어 두고
노을을 받으며 드러눕는 그림자
돌아갈 것이 없는 빈 몸이다
뒷산은 뒷산은 내 몸이다
무겁게 끌어 온 신발의 진흙덩이
서리 감겨 살을 에는 하루의 바람
모두 모두 부려 놓는
울먹이는 내 몸이다

이 시는 관형어의 향연을 펼치고 있다. 다양한 관형어들이 각자의 멋을 부리고 있는 것이다. 이 시에 쓰인 관형어를 유형별로 구별하면, 체언 관형어는 '내(나의), 신발의, 하루의', 용언 관형어는 '외로울, 답답할, 드러눕는, 돌아갈, 없는, 빈, 온, 에는, 놓는, 울먹이는', 관형구로 된 관형어는 '무겁게 끌어 온, 모두 부려 놓는', 관형절로 된 관형어는 '마음 답답할, 돌아갈 것이 없는, 살을 에는'이 있다.

이 시에는 관형사가 하나도 쓰이지 않았지만 다양한 관형어로 체언을 수식하게 하여 시상을 펼친 것을 볼 수 있다. 특히 '뒷산'과 '내 몸'을 동일시하기 위하여 '내 몸'을 꾸민 관형어는 이 시의 백미라고 해도 과언이 아니다. '나무마다 하나씩 마음을 걸어 두고 노을을 받으며 드러눕는 그림자 돌아갈 것이 없는 빈 몸이다'. 이 부분을 읽으면서 관형어가 체언을 얼마나 극적으로 묘사할 수 있는지 그리고 이를 통해서 시의 주제를 얼마나 잘 드러낼 수 있는지 여러분도 인식했으리라 생각한다. 관형어는 체언을 수식하여 시의 내용을 풍부하게 해 주기도 하지만 시의 핵심 주제를 드러내는 수단으로 사용되기도 한다. 시인은 창의적이고 특별한 관형어를 사용함으로써 시를 아주 특별하게 만들 수 있다.

◦ 부사어

용언의 내용을 꾸미거나 한정하는 성분을 부사어라고 한다. 부사어에 속하는 품사는 부사가 유일하다. 그러나 문장에는 부사 외에도 부사어로 쓰이는 것들이 많이 있다. 체언에 부사격조사를 붙여 부사어를 만들기도 하고, 용언에 부사형 전성어미를 붙여 부사어를 만들기도 한다. 부사어가 주어와 서술어를 갖춘 경우가 있는데 이런 부사어를 부사절이라고 부른다.

부사어도 문장의 필수 성분이 아니므로 문장의 형식에 영향을 주지 않는다. 그러나 문장에서는 부사어를 얼마나 다양하게 사용하는지에 따라서 문장의 깊이가 달라진다. 그래서 적절한 부사어를 만들어서 용언을 꾸미거나 한정하게 하는 것이 문장 작성 능력에 속한다고 말할 수 있다. 부사는 용언의 내용을 꾸미는 것이 가장 중요한 기능이지만 문장 전체를 꾸미는 부사도 있다. 이런 부사는 용언의 멋과 맛에 별다른 영향을 주지 못한다. 부사를 포함하여 문장에서 부사의 기능을 하는 것들의 형태를 생각해 보자.

- 부사: 부사에는 크게 두 가지가 있다. 하나는 문장 전체를 꾸미는 문장부사이고, 다른 하나는 용언을 꾸미는 성상부사이다.
  문장부사는 특정 용언과 관련이 없고 문장 전체와 관련이 있는 부사를 가리키는데, 이에는 화자의 태도를 나타내는 양태부사와 단어나 문장의 연결 기능을 하는 접속부사가 있다. 양태부사에는 '과연, 설마, 제발, 모름지기, 결코, 어찌, 하물며' 따위가 있고, 접속부사에는 '그리고, 그러나, 혹은, 또는, 및' 따위가 있다.
  성상부사는 용언을 직접 꾸미거나 다른 부사를 꾸미는 부사를 말한다. 본래 의미의 부사라고 말할 수 있다. '가장, 잘, 매우, 바로, 너무, 열심히, 슬피, 높이, 멀리' 따위로 매우 많다. 특히 형용사 어간에 접미사 '-이, -히'를 붙여 만드는 부사가 다양한 것이 특징이다.
- 체언 부사어: 체언에 다양한 부사격조사를 붙인 형태의 부사어이다. '학교에, 집으로, 사람에게, 너부터, 여기까지' 등 그 형태는 체언의 수만큼 많다. 부사격조사를 생략한 경우도 부사 기능을 하면 부사어에 속한다. 의존명사 '만큼, 듯이, 대로' 같은 단어는 부사격조사 없이도 문장에서 부사어

구실을 한다.

- 용언 부사어: 용언 특히 형용사 어간에 부사 전성어미를 붙여 된 부사어이다. '예쁘게 생겼다'의 '예쁘게', '크게 말해라'의 '크게', '죽도록 충성했다'의 '죽도록'이 용언 부사어이다.

부사어 중에는 성상부사의 앞에 오는 또 다른 부사어를 눈여겨보아야 한다. 왜냐하면 성상부사를 더욱 강화하거나 특별하게 만드는 내용이 거기에 표현되기 때문이다. 또, 체언 부사어의 경우 체언을 수식하는 관형어에 유념해야 한다. 체언을 특별하게 해 주는 요소가 관형어이기 때문이다.

눈물

류시화

슬픔을
가만히 들여다보면
그 안이 환하다
누가 등불 한 점을 켜 놓은 듯
노오란 민들레 몇 점 피어 있는 듯
슬픔을
가만히 들여다보면
그 민들레밭에

내가 두 팔 벌리고
누워 있다
눈썹 끝에
민들레 풀씨 같은
눈물을 매달고서
눈을 깜박이면 그냥
날아갈 것만 같은

이 시에는 부사를 비롯하여 부사어가 몇 종류 들어 있다. '가만히, 그냥'은 부사이고, '민들레밭에, 끝에'는 부사격조사를 붙인 체언 부사어이다. '듯'은 의존명사로서 부사격조사가 붙지 않는 부사어이다. 의존명사에는 그 앞에 반드시 관형어가 붙어 의존명사의 의미를 한정하거나 특화한다. 따라서 이 경우에는 부사어보다 관형어가 더 중요한 의미를 갖는다.

기다림

곽재규

이른 새벽
강으로 나가는 내 발걸음에는
아직도 달콤한 잠의 향기가 묻어 있습니다.

그럴 때면 나는
산자락을 타고 내려온 바람 중
눈빛 초롱하고 허리통 굵은 몇 올을 끌어다
눈에 생채기가 날 만큼 부벼댑니다.

지난밤, 바뀐 것은 아무것도 없습니다.
내 낡은 나룻배는 강둑에 매인 채 출렁이고
작은 물새 두 마리가 해 뜨는 쪽을 향하여
힘차게 날아갑니다.

사랑하는 이여,
설령 당신이 이 나루터를
영원히 찾아오지 않는다 해도
내 기다림은 끝나지 않습니다.

설레이는 물살처럼 내 마음
설레이고 또 설레입니다.

이 시에는 많은 부사어가 들어 있다. 밑줄 친 것들이 모두 부사어인데 이 중에는 부사격조사가 생략된 것이 있어서 이것들을 제외하면 부사인 '아직도, 설령, 영원히, 또', 체언 부사어인 '강으로, 발걸음에는, 강둑에, 물살처럼', 용언 부사어인 '힘차게'를 추출할 수 있다.

이 중에서 특히 체언 부사어의 체언을 수식하는 관형어가 부사어를 특별하게 만들어 주는 점에 주목할 필요가 있다.

- 이른 새벽 강으로 나가는 내 발걸음에는: '이른 새벽'도 부사어이고, '강으로'도 부사어이고, '발걸음에는'도 부사어이다. 그런데 '발걸음'을 관형어 '이른 새벽 강으로 나가는'이 수식함으로써 독자들이 그 '발걸음'의 상쾌함을 맛보게 했다. 부사어를 더욱 깊이 있게 해 주는 것이 부사어에 들어 있는 체언을 관형어로 적절히 수식하는 것임을 알 수 있다.
- 산자락을 타고 내려온 바람 중: 이 부사어는 부사격조사 '에서'가 생략된 것으로 보인다. '중에서'라고 해야 할 것이지만 '에서'를 생략해도 부사어로 보는 데 어려움이 없기 때문이다. 문제는 '바람 중에서'에 쓰인 '바람'을 관형어 '산자락을 타고 내려온'이 수식하고 있다는 점이다. 산자락을 타고 내려온 바람 중에서 강한 바람이 눈에 부딪쳤을 때에 손으로 눈을 비비는 표현은 참 멋지다. 역시 부사어를 형성하고 있는 체언을 관형어로 수식하여 부사어의 어감을 풍성하게 하는 것을 볼 수 있다.

이처럼 부사어만으로 용언을 꾸밀 때에 느끼는 한계를 극복하기 위하여 부사어를 형성하고 있는 체언을 관형어로 다양하게 꾸며 시를 깊이 있게 만들 수 있다.

◦필수부사어

부사어는 원래 문장의 필수 성분이 아니므로 문장의 형식에 영향을 미치지 않는 것이 기본이다. 부사어는 있으면 좋지만 없어도 문장 성립에는 영향을 미치지 않는 요소인 것이다. 그런데 서술어 중에는 반드시 부사어가 있어야 의미가 완성되는 것이 있다. 즉 서술어가 특정 부사어를 반드시 요구하는 경우에 그 부사어를 필수부사어라고 한다.

부사어가 서술어에 반드시 필요하다는 것이 참 아이러니한 말이지만 한국어의 서술어에는 그런 부사어가 반드시 있어야 의미가 완성되는 것들이 있다. 앞에서 설명한 바와 같이 두 자리 서술어와 세 자리 서술어 중에서 필수부사어가 필요한 서술어가 있는 것이다. '누구에게 주다, 누구와 마주치다, 무엇과 같다, 무엇에 부딪히다'에서 '누구에게, 누구와, 무엇과, 무엇에' 같은 것이 부사어이면서 이것들은 뒤에 오는 동사 서술어에 반드시 필요한 부사어이다.

낮

황규관

<u>안으로</u> 향한 마음이
더 번득이는 법이다

마치 먼 우주에서 힘겹게,
그러나 맑게 와닿은 별빛처럼
날이 빛날 때

어느새 적을 닮은 내가
먼저 쓰러진다는 얘기,

피 흘린다는 말은
나를 베는 고독만큼
강해진다는 뜻이다

아침 식전(食前)부터 논두렁 깎다
땀에 흠뻑 젖은 등처럼

그 힘으로 펄떡이는 들판처럼

이 시의 첫 구절은 무척 신선하고 멋지다. '안으로 향한 마음이 더 번득이는 법이다'. 무언가 우리에게 주는 메시지가 있는 듯하다. 명확하게 다가오지는 않지만 적어도 그 표현만큼은 강렬하다. 여기서 '안으로 향한'의 '향한'이 두 자리 서술어이고, '안으로'가 필수부사어이다. 이 부사어가 없다면 '향한'의 의미는 완성되지 않는다. '안으로 향한'은 마음을 수식하는 관형절이다. 그 밖에도 '와 닿은'도 필수부사어 '우주에서'를 필요로 하는 두 자리 서술어이다. '어디에서 와 어디에 닿은'의 형식이 될 것을 '어디에'가 생략된 것으로 볼 수 있다. '어디에'가 생략되지 않았다면 그것도 필수부사어 취급을 받을 수 있다.

꿈

이생진

이 세상에 없는 여자를
꿈에서 안아 보고 기뻐했다
꿈이 시키는 대로 간음하다가
사람에게 들키고는
밤새 부끄러워 얼굴을 못 들었는데
날이 새어 꿈임을 알고 안심했으나
그녀가 없는 세상임을 알고는
다시 실망했다

'사람에게 들키고는'에서 '사람에게'가 필수부사어이다. '들키다'는 반드시 '누구에게 들키다' 구문으로 쓰인다. 이 시에서는 '들키다'가 두 자리 서술어로 쓰였지만, 목적어를 취할 때에는 세 자리 서술어가 된다. 대체로 피동의 의미를 갖는 동사는 조사 '에게'가 붙은 필수부사어를 요구한다. 예컨대 '누구에게 밉보이다, 누구에게 매를 맞다, 누구에게 해를 당하다'에서 '밉보이다'는 두 자리 서술어로서, '맞다'와 '당하다'는 세 자리 서술어로서 필수부사어를 요구한다.

비 오는 날의 연가

최영애

하늘까지 치솟는 그리움
내 삶의 언저리에 파고드니
나뭇잎 흔들거림에도
내 님의 부름 같아 가슴 설렌다

미칠 듯 퍼붓는 저 소낙비
그리움 반을 얹어
밤새 화폭에 내 모습 담았을
임에게 띄우려니
남은 그리움 홀로이 쓰다듬노라

부르면 눈물이 날 것 같아
속울음만 삼켜보는 나의 사랑아

'내 삶의 언저리에 파고드니'에서 '언저리에', '밤새 화폭에 내 모습 담았을'에서 '화폭에', '임에게 띄우려니'에서 '임에게'가 필수부사어이다. '파고들다, 담다, 띄우다'는 모두 필수부사어가 없으면 의미가 완성되지 않는다. 이 밖의 부사어 '하늘까지, 흔들거림에도, 미칠 듯, 밤새, 홀로이'는 일반 부사어이므로 없어도 문장 형성에 문제가 생기지 않는다.

| 필수부사어의 범위

필수부사어라는 개념이 자체 모순을 띠고 있어서 명쾌하게 설명하는 데는 어려움이 있다. 부사어가 원래 필수 성분이 아닌데 필수부사어라고 하기 때문이다. 필수부사어를 인정하는 것이 문법 설명을 하기에는 편리하지만 어디까지 필수부사어로 보아야 할지 명쾌하게 말하기는 쉽지 않다. 예를 들면 '젖다'를 사용한 아래 두 문장을 비교해 보자.

- 옷이 (비에) 젖었다.
- 마음이 (슬픔에) 젖었다.

위 두 문장 중에서 부사어가 없어도 문장의 의미가 완성되는 것은 첫 번째 문장이고, 두 번째 문장은 부사어가 있어야 의미가 완성될 수 있다. 그러나 사람에 따라서는 두 번째 문장도 부사어가 없어도 된다고 볼지 모른다. 이처럼 사람에 따라서 필수부사어를 인정하는 범위가 다를 수 있는 것이다.

필수부사어가 완벽하게 정립된 용어가 아니라는 점만 알아두면 될 것 같다.

◦독립어

문장의 다른 성분과 밀접한 관계없이 독립적으로 쓰는 말이다. 실제로 독립어로 쓰이는 단어는 다양하다. '아, 예, 아니요' 같은 감탄사, '그러나, 그런데' 같은 접속부사, '영희야, 신이시여'처럼 호격조사가 붙은 체언, '빛, 그대는 생명의 창조자'에서 '빛' 등이 독립어에 속한다.

구절초

오태인

사연 없이 피는 꽃이 어디 있겠냐만
하필 마음 여린 이 시절에 어쩌자고
구구절절 피어서 사람의 발목을 붙드느냐.
여름내 얼마나 속 끓이며
이불자락을 흥건히 적셨길래
마른 자국마다 눈물 꽃이 피어
사람의 가슴을 아프게 치대느냐.
꽃이나 사람이나 사는 일은

이렇듯 다 구구절절 소금 같은 일인 걸
아, 구절초 흩뿌려져 쓰라린 날

독한 술 한 잔 가슴에 붓고 싶은 날

독립어는 문장과 구별되어 존재하기 때문에 언제나 독립어 뒤에 쉼표를 찍은 다음에 문장을 시작한다. 그래서 '아' 뒤에 쉼표가 찍힌 것이다. '아'는 감탄사로 분류되는 말이다. 모든 감탄사는 독립어로 쓰인다.

아름다운 아내

윤수천

아내여, 아름다운 아내여.
사랑한다는 말 한마디 해 주지 않았어도
변치 않고 살아주는 아름다운 아내여.

세상의 파도가 높을지라도 좀처럼 절망하지 않는
나의 아름다운 아내여. 방파제여.

당신은 한 그루 나무다.
희망이라는 낱말을 지닌 참을성 많은 나무다.

땅만 있으면 뿌리를 내리고
가지를 뻗어 꽃을 피우는 억척스런 나무다.

아내여, 억척스런 나무여.
하늘이 푸르다는 것을 언제고 믿는 아름다운 나무여.
나의 등이 되어주는 고마운 나무여.

아내는 방파제다.
세월 속의 듬직한 나무다.

'아내'에 호격조사 '여'를 붙여 '아내여'라고 한 부분이 독립어이다. 그런데 '아내'를 꾸미는 관형어가 앞에 온 경우에 이를 모두 독립어로 볼 것인지 난감하다. 특히 이 시는 '아내'를 꾸미는 관형어로 이루어졌다고 해도 과언이 아닐 정도로 다양한 내용의 관형어가 '아내'를 수식하고 있기 때문이다. 독립어의 개념에 충실하게 말한다면 호격조사가 붙은 말은 그 앞에 관형어가 오고 안 오고를 묻지 않고 모두 독립어로 처리해야 할 것이다. 그렇다면 이 시의 첫째 연과 둘째 연은 모두 독립어로만 구성되었고 정작 본문은 나오지 않았다고 보아야 한다. 셋째 연이 앞의 독립어에 호응하는 문장이라고 보면 된다. 넷째 연도 독립어로만 구성되어 있고 본문은 다섯째 연에 나온다. 물론, 호격조사를 붙인 독립어만으로 시를 지어도 아무 문제가 되지 않는다.

문장성분별로 시 문장 분석하기

이제까지 배운 문장의 구조와 문장성분에 대한 지식을 이용해서 실제 시 문장을 분석해 보자. 이 연습을 통해서 여러분은 문법을 좀 더 잘 이해하게 될 것이다. 여기서 살펴볼 내용은 다음과 같다.

- 단어의 품사를 밝힌다.
- 문장성분을 밝힌다.
- 시의 중심 생각을 가늠해 본다.

꿈

김소월

닭 개 짐승조차도 꿈이 있다고
이르는 말이야 있지 않은가,
그러하다, 봄날은 꿈꿀 때.
내 몸에야 꿈이나 있으랴,
아아 내 세상의 끝이여,

나는 꿈이 그리워, 꿈이 그리워.

- 품사 구분: 명사는 '닭, 개, 짐승, 꿈, 말, 봄날, 때, 몸, 세상, 끝', 대명사는 '나', 동사는 '있다, 이르다, 꿈꾸다', 형용사는 '않다, 그러하다, 그립다', 감탄사는 '아아'이다.
- 성분 구분: 주어는 '짐승조차도, 말이야, 봄날은, 꿈이나, 나는'이 있다. '짐승조차도 꿈이 있다'는 '꿈이 있다'를 서술절로 삼은 안은문장이다. '나는 꿈이 그리워'도 서술절 '꿈이 그리워'를 안은문장이다. 이 경우 '꿈이'는 서술절의 주어이다. 안은문장에 관해서는 뒤에 설명한다.

서술어는 '있다고, 있지 않은가, 있으랴, 그리워, 때(이다)'이다. '있지 않은가'는 본용언 '있지'와 보조용언 '않은가'가 합하여 서술어가 된 구이다. '때'는 서술격조사 '이다'가 생략된 상태이다.

필수부사어는 '몸에야'이다. '꿈이 있다'를 한 자리 서술어 문장으로 볼 수 있지만 장소가 빠지면 문장이 완성되었다고 볼 수 없기 때문에 부사어 '몸에야'가 꼭 필요함을 알 수 있다. 그래서 이것을 필수부사어로 보고, 이 문장을 두 자리 서술어 문장으로 분류한다. 부사어는 '짐승조차도', 관형어는 '이르는(이르+는), 꿈꿀(꿈꾸+ㄹ), 내(나+의), 세상의'이다. 독립어는 '아아, 끝이여(끝+이여)'이다. '끝이여'는 받침이 있는 명사 '끝'에 호격조사 '이여'가 붙어 된 독립어이다. 받침이 없는 명사에는 호격조사 '여'가 붙는다.

부사절은 '닭, 개, 짐승조차도 꿈이 있다고'이다. '있다고'의 '-다고'는 어미 '-다'에 격조사 '고'가 연결되어 인용의 기능을 하는 부사절을 이끈다. 부사절도 부사어의 범주에 들어가는 용어이지만 주어와 서술어로 구성된 절을 단어로 된 부사어와 편의상 구별하여 별도로 제시했다.

- 시의 중심 생각: 중심 생각은 사람에 따라서 조금씩 다를 수 있으므로 절대적이지 않다는 점을 이해하고 참고로만 읽어 주기 바란다. 주제문은 '나는 꿈이 그리워.'이다. 닭이나 개 같은 짐승도 꿈을 꾼다. 그리고 봄날은 꿈을 꾸기에 좋은 때이다. 그런데 나는 꿈을 꿀 수 없다. 나를 꿈도 꾸지 못하게 만드는 고통이 억누르고 있기 때문이다. 그 억압이 일본 제국주의의 억압이 아닌가! '빼앗긴 들에도 봄은 오는가!'라고 절규했던 이상화의 고통과 닮았다.

꽃나무

이상

벌판 한복판에 꽃나무 하나가 있소. 근처에는 꽃나무가 하나도 없소. 꽃나무는 제가 생각하는 꽃나무를 열심으로 생각하는 것처럼 열심으로 꽃을 피워 가지고 섰소. 꽃나무는 제가 생각하는 꽃나무에게 갈 수 없소. 나는 막 달아났소. 한 꽃나무를 위하여 그러는 것처럼 나는 참 그런 이상스런 흉내를 내었소.

- 품사 구분: 명사는 '벌판, 한복판, 꽃나무, 근처, 것, 꽃, 수, 흉내', 대명사는 '저, 나'이다. '저'는 이미 말한 바 있는 대상을 도로 가리키는 삼인칭 대명사로서, 주격조사 '가'가 오면 '제'로 바뀐다. '자기'보다 더 낮잡는 느낌을 준다. 수사 '하나'는 숫자를 나타내는 수사이지만 많은 경우에 '한 사물'의 뜻을 나타내는 명사로 쓰인다. '하나도'에 쓰인 '하나'가 명사로 쓰인 예이다.

  동사는 '서다, 생각하다, 피우다, 가지다, 가다, 달아나다, 위하다, 그러다, 내다', 형용사는 '없다, 이상스럽다', 관형사는 '한, 그런', 부사는 '열심으로, 막, 참'이다. '열심으로'는 '열심히'의 틀린 말이다.
- 성분 구분: 주어는 '하나가, 꽃나무가, 꽃나무는, 제가, 나는', 서술어는 '섰소, 없소, 피워 가지고, 갈 수 없소, 달아났소, 내었소'이다. '피워 가지고'는 주용언 '피우다'에 보조용언 '가지다'가 결합한 서술어이고, '갈 수 없소'는 서술어 '가다'를 부정하는 관용 형태의 서술어이다. 목적어는 '꽃나무를, 꽃을, 흉내를'이다.

  관형어는 '생각하는(생각하+는), 갈(가+ㄹ), 그러는(그러+는)', 부사어는 '한복판에, 근처에는, 하나도, 것처럼, 꽃나무에게', 관형구는 '그런 이상스런', 관형절은 '제가 생각하는, 꽃나무를 열심으로 생각하는, 한 꽃나무를 위하여 그러는'이다. 관형절도 관형어의 범주 안에 들어가는 용어이지만 주어와 목적어와 서술어 구조가 있는 것을 별도로 구별하여 제시했다.

- 시의 중심 생각: 중심 생각은 사람에 따라서 조금씩 다를 수 있으므로 절대적이지 않다는 점을 이해하고 참고로만 읽어 주기 바란다. 주제문은 '나는 막 달아났소.'이다. 꽃나무가 열심히 꽃을 피우지만 꽃나무가 자신의 꽃나무에 다가갈 수 없다. 이 꽃나무는 어쩌면 자기의 본성 또는 자아를 가리키는 것일지 모르겠다. 스스로 상정한 자아에 이를 수 없는 절망감이 그로 하여금 자신에게서 도망치게 하지 않았을까? 어떤 이는 꽃과 꽃나무가 여성을 상징하는 것으로 보고 남성의 자위행위를 읊은 시라고 해설하기도 한다. 시는 받아들이는 사람의 것이므로 옳고 그름을 따질 일은 아니다.

문법의 기본 요소

여러분은 이제까지의 공부를 통해서 문장의 구조를 이해하고 문장성분을 분석하려면 어떤 조사와 어떤 어미가 사용되는지를 알아야 한다는 점을 이해했을 것이다. 사실 한국어에서는 모든 문장의 구조와 형식이 조사와 어미를 통해서 이루어지기 때문에 국어 문법은 조사와 어미를 배우는 과정이라고도 말할 수 있다. 그래서 이 책은 문법의 기본 요소로서 조사와 어미를 중점적으로 설명하고자 하는 것이다.

○ 문장에서 조사의 기능

조사는 체언 뒤에 붙는 문법 요소이다. 비록 체언 뒤에 붙어 있지만 문법적으로는 문장 안에서 체언이 있어야 할 자리, 수행해야 할 기능을 지시하는 지휘자인 셈이다. 의미는 체언이 갖지만 지휘권은 조사에게 있다. 조사가 체언이라는 말을 부리는 장수인 셈이다. 체언을 주어로 만들고 싶으면 주격조사가 붙고, 목적어를 만들고 싶으면 목적격조사가 붙고, 서술어를 만들고 싶으면 서술격조사가 붙고, 관형어를 만들고 싶으면 관형격조사가 붙고, 부사어를 만들고 싶으면 부사격조사가 붙는 식이다. 조사는 체언 뒤에만 붙는 것이 아니라 경우에 따라서는 부사나 다른 조사나 어미 뒤에도 붙는다. 물론 그런 곳에 붙는 조사는 별도로 정해져 있다. 아래 시를 보면서 조사가 어디에 어떻게 쓰였는지 살펴보자.

겨울 비

오세철

아픔을 안고 숨져 간
커피색 낙엽 위로
치적 비가 내린다.

목이 긴 겨울 밤
산산이 갈라진 기억
잔해 잔등에도 여지없이
투영하는 빗방울들의 헛된 목숨

창 밖
겨울 갈비뼈 녹는 울음
이빨 앙다물고 질주하는 빗발의
다그침이 막 삼경을 넘어선다.

이 비가 그치면 온 들판
상처투성일 흰 눈이 감싸주겠지.

이 시에 쓰인 조사를 차례로 적고 분석해 보면 아래와 같다.

- 을: 아픔을 … 동사 '안다'의 목적어를 만든다.
- 로: 위로 … 목적지를 나타내는 부사어를 만든다.
- 가: 비가 … 서술어 '내린다'의 주어를 만든다.
- 이: 목이 … 서술어 '길다'의 주어를 만든다.
- 에: 잔등에 … 장소를 나타내는 부사어를 만든다.
- 도: 잔등에도 … 그 위에 더함 또는 포함됨을 나타낸다.
- 의: 빗방울들의 … 뒤에 오는 말을 꾸미는 관형어를 만든다.
- 의: 빗발의 … 뒤에 오는 말을 꾸미는 관형어를 만든다.
- 이: 다그침이 … '다그침'을 서술어 '넘어선다'의 주어가 되게 한다.
- 을: 삼경을 … '넘어선다'의 목적어를 만든다.
- 가: 비가 … 서술어 '그치면'의 주어가 되게 한다.
- 이: 눈이 … 서술어 '감싸주겠지'의 주어가 되게 한다.

이렇게 보면 조사 '가, 이'는 주어를 만드는 조사이고, '을'은 목적어를 만드는 조사이고, '의'는 관형어를 만드는 조사이고, '로'와 '에'는 부사어를 만드는 조사이고, '도'는 의미를 추가하는 조사임을 알 수 있다. 이처럼 조사는 문장 안에서 다양한 문법 기능을 수행한다.

◦ 문장에서 어미의 기능

앞에서 용언을 설명할 때에 용언은 어간과 어미로 이루어졌다고 밝힌 바 있다. 어간은 용언의 의미를 나타내는 부분이고, 어미는 용언의 문법적 기능을 수행하는 부분이다. 마치 체언에 조사가 하는 기능을 용언에서는 어미가 담당하는 것이다. 체언에 다양한 조사가 붙어 문법적 기능을 수행하는 것처럼 용언의 어미도 다양하게 변하면서 문법적 기능을 수행한다. 용언이 문장 안에서 어떤 기능을 수행하는지는 어미로 결정된다. 조사가 체언의 지휘자라면 어미는 용언의 어간에 방향과 위치를 지정해 주는 물고기의 꼬리에 비유할 수 있을 것이다. 어미의 형태와 기능을 직접 시에 쓰인 문장에서 찾아서 살펴보자.

봉선화鳳仙花

김상옥

비 오자 장독대에 봉선화 반만 벌어
해마다 피는 꽃을 나만 두고 볼 것인가
세세한 사연을 적어 누님께로 보내자

누님이 편지 보며 하마 울까 웃으실까
눈앞에 삼삼이는 고향집을 그리시고
손톱에 꽃물들이던 그날 생각하시리

양지에 마주 앉아 실로 찬찬 매어 주던
하얀 손 가락가락이 연붉은 그 손톱을
지금은 꿈속에 본 듯 힘줄만이 서노나.

이 시는 시조로 분류되지만 여기서는 시조도 시의 일부로 보고 분석한다. 이 시는 동사가 문장 안에서 어떻게 어미 변화를 통해서 형태가 바뀌어 사용되고 있는지 잘 알게 해 준다. 각 연에 쓰인 '볼, 보며, 본'은 형태가 다르지만 모두 동사 '보다'가 활용한 형태이다. '보다'가 문장 안에서 기능에 따라 바뀐 것이다. 동사 '보다'가 미래 시제를 나타내는 관형어로 쓰이기 위해서 '볼'로 바뀌었고, 보는 동작과 함께 다른 동작을 함을 나타내려고 '보며'로 바뀌었고, 과거 시제 관형어로 쓰이기 위해서 '본'으로 바뀌었다.
우리는 어미에 따라서 용언의 문법적 기능이 어떻게 달라지는지 잘 살펴보아야 한다. 이 시에 쓰인 동사와 형용사의 어미를 분석해 보면 아래와 같다. 어미의 앞에 '-'을 붙이는 이유는 독립성이 없어서 앞에 있는 어간에 붙는 요소임을 뜻한다.

1연

- –자: 오다(오+자) … 한 동작의 끝과 다른 동작의 시작을 연결하는 어미
- –어: 벌다(벌+어) … 행위를 설명하고 뒷말에 연결하는 어미
- –는: 피다(피+는) … 뒤에 오는 체언을 꾸미는 어미
- –고: 두다(두+고) … 뒤의 동사에 연결하는 어미
- –ㄹ: 보다(보+ㄹ) … 뒤에 오는 체언을 꾸미는 어미
- –ㄴ: 세세하다(세세하+ㄴ) … 뒤에 오는 체언을 꾸미는 어미
- –어: 적다(적+어) … 뒤의 동사에 연결하는 어미
- –자: 보내다(보내+자) … 문장을 마치는 어미

2연

- –며: 보다(보+며) … 두 동작을 동시에 함을 나타내는 연결어미
- –ㄹ까: 울다(울+ㄹ까) … 물음이나 추측을 나타내는 종결어미
- –으시–: 웃다(웃+으시–) … 높임을 나타내는 선어말어미
- –ㄹ까: 웃다(웃으시+ㄹ까) … 물음이나 추측을 나타내는 종결어미
- –는: 삼삼이다(삼삼이+는) … 체언을 꾸미는 전성어미
- –시–: 그리다(그리+시–) … 높임을 나타내는 선어말어미
- –고: 그리다(그리시+고) … 두 동작이 앞뒤로 일어남을 나타내는 연결어미
- –던: 물들이다(물들이+던) … 과거의 동작을 나타내는 전성

어미
- –시–: 생각하다(생각하+시–) … 높임을 나타내는 선어말어미
- –리: 생각하다(생각하시+리) … 추측을 나타내는 종결어미

3연

- –아: 앉다(앉+아) … 동작의 선후 관계를 나타내는 연결어미
- –어: 매다(매+어) … 주용언에 붙어 보조용언을 붙이는 연결어미
- –던: 주다(주+던) … 과거의 동작을 나타내는 전성어미
- –ㄴ: 하얗다(하얗+ㄴ) … 체언을 꾸미는 전성어미
- –은: 연붉다(연붉+은) … 체언을 꾸미는 전성어미
- –본: –ㄴ(보+ㄴ) … 뒤에 오는 의존명사 '듯'을 꾸미는 전성어미
- –누나: 서다(서+누나) … 동작을 감탄을 섞어서 설명하는 뜻을 나타내는 종결어미

이처럼 어미는 고유의 기능을 가지고 있어서 어떤 어미를 취하느냐에 따라서 동사와 형용사가 문장 안에서 다양한 기능을 수행한다. 특히 어미는 문장을 마치는 종결 기능을 가지고 있어서 모든 문장은 종결어미로 끝난다는 점을 주목해야 한다. 그리고 그 종결어미가 서법이나 높임법을 나타내는 다양한 형태를 취한다는 점도 미리 알아 두는 것이 좋다. 문장의 중간에 사용되는 어미 중에는 연결어미라고 하여 단어와

단어 또는 문장과 문장을 연결하는 것이 있고, 전성어미라고 하여 관형사나 부사처럼 뒤에 오는 체언이나 용언을 수식하는 데 쓰이는 것이 있다.

높임법 익히기

세계 언어 가운데 한국어만큼 높임법을 철저히 요구하는 언어는 없을 것이다. 서양 언어에서는 높임법이 특수한 경우에만 요구되고 한국어와 비슷한 구조를 가진 일본어도 한국어처럼 철저하게 높임법을 구조적으로 요구하지는 않는다.

한국어는 문장을 마치는 서술어의 어미에 높고 낮은 높임법이 적용되기 때문에 높임법을 사용하지 않는 말을 쓰는 것이 애초에 불가능하다. 따라서 한국인은 말끝을 정확하게 맺지 않고 얼버무리는 경우가 많이 있다. 높임을 어느 정도로 표현해야 좋을지 몰라서 종결어미를 자신 있게 사용하지 못하기 때문이다. 구조적으로 높임법을 쓰지 않을 수 없게 되어 있는 한국어는 현대 언어생활에서 의사소통을 하는 데 큰 걸림돌로 작용하고 있다. 그렇다고 해서 높임법을 없앨 수 없으니 조심해서 사용하는 수밖에 없다.

한국어의 높임법은 크게 세 종류로 나눌 수 있다. 가장 기본적인 상대높임법, 문장의 주어를 높이는 주체높임법, 문장에 등장하는 제삼자를 높이는 객체높임법이 그것이다. 이 가운데 앞에서 말한 것처럼 우리의 언어생활을 옥죄고 있는 것은 상대높임법이다.

○ 상대높임법

말을 듣는 사람을 높이는 높임법이다. 글에서는 독자를 높이는 의미를 갖는다. 상대높임법은 서술어의 종결어미에서 구현된다. 높임의 수준에 따라서, 그리고 서법에 따라서 다양한 어미가 사용된다.

상대높임법에 사용되는 어미를 여기서 다 제시할 수 없다. 그만큼 상대를 높이는 어미가 다양하기 때문이다. 평서문에서 상대를 높이는 어미로 사용되는 것과 의문문에서 상대를 높이는 어미로 사용되는 것이 다르니 말하는 사람은 서법에 맞추어 그리고 높임의 정도에 맞추어 어미를 골라서 사용해야 한다. 한국인은 누구도 이 높임법에서 놓여날 수 없다. 서술어 하나를 예로 들어 서법과 높임의 정도에 맞는 어미를 보면 아래와 같다.

• 서술어 '보다'의 높임 표현에 사용되는 어미의 종류

높임/서법	평서법	의문법	명령법	청유법
아주높임	봅니다	봅니까?	보십시오	보십시다
예사높임	보오	보오?	보오	봅시다
예사낮춤	보네	보는가?	보게	보세
아주낮춤	본다	보느냐?	봐라	보자
두루높임	봐요	봐요?	봐요	(없음)
두루낮춤	봐	봐?	봐	(없음)

동사 '보다'를 사용하여 서술어를 만들 때 우리는 위에 적힌 20가지 남짓한 어미 중에서 하나를 택하여야 한다. 이것이 모든 동사와 형용사를 서술어로 사용하여 말을 맺을 때에 일어나는 일이니 한국인이 높임법 때문에 곤란을 받는 것은 너무나 당연한 일이다.

• 어디로 갈래?
• 한식집으로 가요.

이 문장들의 종결어미에는 아주낮춤과 두루높임에 쓰이는 어미가 쓰였다. 손윗사람이 손아랫사람에게 물을 때에는 앞 문장의 어미를 사용하고, 손아랫사람이 손윗사람에게 답할 때에는 뒤 문장의 어미를 사용한다.

알 수 없어요

한용운

바람도 없는 공중에 수직(垂直)의 파문을 내며 고요히 떨어지는 오동잎은 누구의 발자취입니까?
지리한 장마 끝에 서풍에 몰려가는 무서운 검은 구름의 터진 틈으로, 언뜻언뜻 보이는 푸른 하늘은 누구의 얼굴입니까?
꽃도 없는 깊은 나무에 푸른 이끼를 거쳐서, 옛 탑(塔) 위의 고요한 하늘을 스치는 알 수 없는 향기는 누구의 입김입니까?
근원은 알지도 못할 곳에서 나서, 돌부리를 울리고 가늘게 흐르는 작은 시내는 굽이굽이 누구의 노래입니까?
연꽃 같은 발꿈치로 가이없는 바다를 밟고, 옥 같은 손으로 끝없는 하늘을 만지면서, 떨어지는 날을 곱게 단장하는 저녁놀은 누구의 시(詩)입니까?
타고 남은 재가 다시 기름이 됩니다. 그칠 줄 모르고 타는 나의 가슴은 누구의 밤을 지키는 약한 등불입니까?

이 시는 상대를 아주 높이는 어법을 사용했다. 시에 아주높임을 사용하면 시가 무척 장중하고 깊은 맛을 준다. 한용운 시인의 시는 이처럼 아주높임법을 쓴 것이 대부분이다. 그러다 보니 자연스럽게 그의 시는 어법이 정확하고 반듯하다. 그런데 이 시의 제목에는 비격식체로 두루높임법을 사용했다. 아마 제목이 너무 무겁게 느껴지지 않게 하기 위함이었을 것이다.

밤

김수영

부정한 마음아
밤이 밤의 창을 때리는구나

너는 이런 밤을 무수한 거부 속에 헛되이 보냈구나
또 지금 헛되이 보내고 있구나
하늘 아래 비치는 별이 아깝구나
사랑이여
무된 밤에는 무된 사람을 축복하자

이 시에서 상대높임법은 '때리는구나, 보냈구나, 축복하자'처럼 종결어미에서 구현되었고 모두 아주낮춤을 사용하였다. 이 낮춤 표현은 '부정한 마음아'에 사용된 호격조사 '아'와 자연스럽게 호응한다. 호격조사 '아'도 상대를 낮추어 부를 때에 사용하기 때문이다. 다만, '사랑이여'에 사용한 '이여'가 상대를 정중하게 높이는 기능을 하는 조사라는 점에서 뒤에 오는 '축복하자'의 아주낮춤과 높임의 불일치가 생긴 점이 아쉽다. '사랑아'라고 했더라면 더 좋지 않았을까 생각한다.

◦ 주체높임법

말할 때나 문장을 쓸 때 주어를 높이는 어법으로서, 서술어의 종결어미 앞에 '-시-'를 붙여 구현한다. 문장의 주어와 말을 듣는 상대가 같을 때에는 위의 표에서 높임에 해당하는 어미 앞에 '-시-'를 붙여 높임을 표현하고, 문장의 주어와 말을 듣는 상대가 다를 때에는 위 표의 낮춤에 해당하는 어미 앞에 '-시-'를 붙여 높임을 나타낸다.

• 어머님이 미인이시구나.
• 그분이 이야기를 해 주십니다.

위 문장들은 모두 문장의 주어 곧 주어가 가리키는 사람을 높인다. 종결어미로 아주낮춤과 아주높임의 어미를 쓴 것은 말을 듣는 사람이 손아랫사람이거나 손윗사람이기 때문이다.

오시는 눈

김소월

땅 위에 새하얗게 오시는 눈.
기다리는 날에는 오시는 눈.
오늘도 저 안 온 날 오시는 눈.
저녁 불 켤 때마다 오시는 눈.

이 시는 '눈'을 높이기 위해서 주체높임을 나타내는 선어말어미 '-시-'를 사용했다.

○ 객체높임법

문장의 상대도 아니고 주어도 아닌 대상을 위해서 특별히 높이는 표현을 사용하는 경우가 있다. 아래 예문을 보고 객체높임법을 익혀 보자.

• 엄마가 할머니께서 편찮으시다고 말씀하시더라.

이 문장에는 상대높임법과 주체높임법과 객체높임법이 다 들어 있다. 먼저 '편찮으시다고'가 객체인 할머니를 높이기 위해서 사용한 객체높임법이다. 만일 객체를 높일 필요가 없었다면 '아프다고'를 썼을 것이다. 서술어에 '-시-'를 넣은 것은 주어인 엄마를 높이기 위함이고, '-더라'는 이 말을 듣는 상대를 낮추기 위해서 쓴 어미이다.

• 할아버지를 모시고 너 먼저 들어가라.

이 문장에는 상대높임법, 객체높임법이 다 들어 있다. '모시고'는 '할아버지'를 높이기 위해서 사용한 높임법이다. 만일 '동생'이라면 '데리고'를 썼을 것이다. '들어가라'에는 주체높임이 없다. '너'를 높일 이유가 없기 때문이다. 다만, 상대를 낮추는 높임법이 들어 있다. '너'를 낮추기 위한 상대높임법인 셈이다.

생시에 못 뵈올 님을

변영로

생시에 못 뵈올 님을 꿈에나 뵈올까 하여
꿈 가는 푸른 고개 넘기는 넘었으나
꿈조차 흔들리고 흔들리어
그립던 그대 가까울 듯 멀어라.

아, 미끄러지지 않을 곳에 미끄러져
그대와 나 사이엔 만 리가 격했어라.
다시 못 뵈올 그대의 고운 얼굴
사라지는 옛 꿈보다도 희미하여라.

이 시에는 '님', 곧 '그대'를 높이는 방법으로 동사 '뵙다'를 썼다. '님'이나 '그대'는 주어가 아니므로 주체높임법을 취할 수 없다. 그리고 자신에게 독백하듯이 하는 말이므로 상대높임법을 사용할 수도 없다. 이런 경우에 객체높임법이 제격이다. '임'을 본다고 말하지 않고 뵙는다고 말하는 것이 바로 '임'을 높이는 것이다.

○ 높임의 일관성

아래 시는 예사높임인 하오체 문장으로 되어 있다. 그런데 같은 상대를 향해 말하면서 마지막에는 갑자기 예사낮춤인 하게체로 바꿨다.

어느 60대 노부부의 이야기

김목경

곱고 희던 두 손으로 넥타이를 매어 주던 때
어렴풋이 생각나오 여보 그때를 기억하오
막내아들 대학 시험 뜬눈으로 지내던 밤들
어렴풋이 생각나오 여보 그때를 기억하오

세월은 그렇게 흘러 여기까지 왔는데
인생은 그렇게 흘러 황혼에 기우는데

큰딸아이 결혼식 날 흘리던 눈물방울이
이제는 모두 말라 여보 그 눈물을 기억하오
세월이 흘러감에 흰머리가 늘어가네
모두가 떠난다고 여보 내 손을 꼭 잡았소

세월은 그렇게 흘러 여기까지 왔는데
인생은 그렇게 흘러 황혼에 기우는데

다시 못 올 그 먼 길을 어찌 혼자 가려 하오
여기 날 홀로 두고 여보 왜 한 마디 말이 없소
여보 안녕히 잘 가시게 여보 안녕히 잘 가시게
여보 안녕히 잘 가시게

이 시는 노랫말로 지은 것이지만 노랫말을 시와 차별화할 이유가 없다고 보아 분석 대상으로 삼았다. '기억하오, 잡았소, 가려 하오, 없소' 등이 모두 하오체이다. 그런데 마지막에 갑자기 하게체가 나왔다. '잘 가시게'가 하게체이다. 하오체는 상대를 높이는 어법이고, 하게체는 상대를 낮추는 어법이다. 왜 작가는 상대를 높이다가 마지막에 갑자기 낮추는 변화를 택했을까? 우리 언어 인식은 대체로 높임인 경우 더 높이는 방향으로 변화하는 것은 쉽게 받아들이지만 낮추는 방향으로 변화하는 것은 잘 납득하지 못하는 편이다. 또 아내를 부르는 '여보'라는 호칭에 어울리는 높임법으로는 하게체보다는 하오체가 더 어울리는 것이 사실이다. 이 시에서 높임법의 변화가 일어난 배경에 작가의 어떤 의식이 영향을 끼쳤을지 궁금하다. 특별한 이유가 없다면 당연히 '잘 가시오'라고 해야 할 것이다.

서법 익히기

누구나 말을 설명체로 할 것인지 의문체로 할 것인지 명령체로 할 것인지를 고민하지는 않을 것이다. 묻고 싶으면 의문체로 할 것이고, 시키고 싶으면 명령체로 할 것이기 때문이다. 어떻게 말할 것인가는 말하는 사람이 결정하고 그에 따라서 서술어의 종결어미 형태가 달라진다. 서술어의 종결어미 형태에 따라서 말하는 사람의 태도가 달라지는 원리를 서법(敍法)이라고 부른다. 우리가 일반적으로 사용하는 서법에는 평서법, 의문법, 명령법, 청유법, 감탄법이 있다.

○ 평서법

평범하게 서술하는 태도를 나타내는 서법이다. 평서법으로 이루어진 서술어는 자기 생각을 말하는 것이므로 상대의 어떤 반응을 요구하지 않는다. 그냥 그렇다는 의미를 나타낼 뿐이다. 아래의 예가 모두 평서법에 속하는 문장이다.

- 날이 춥다.
- 별이 빛난다.

- 음식 잘 먹었습니다.
- 내가 그 일을 하겠다.
- 우리가 이길 거야.

○ 의문법

상대방 또는 독자에게 질문하는 태도를 나타내는 서법이다. 의문법 문장에 대해서 상대방은 답을 하게 된다. 서술어 뒤에 물음표를 붙인다. 아래 예가 의문법 문장인데, 높임의 수준에 따라서 어미가 달라진다.

- 밥 먹었니?
- 함께 갈래?
- 그들은 휴가 여행을 어디로 갔을까?
- 어디 가오?
- 어떻게 오셨습니까?

○ 명령법

상대방 또는 독자에게 지시하거나 명령하여 그에 따르도록 하려는 태도를 나타내는 서법이다. 높임의 수준에 따라서 어미가 달라진다.

- 저쪽으로 가라.
- 내 말을 좀 들어.
- 나를 좀 보게.
- 바람이 들어오니 문을 닫으세요.

직접 명령하는 것이 아니라 완곡하게 명령하는 뜻을 나타내는 표현이 있다. 이런 표현은 형태상으로 명령법으로 보지 않고 의문법 또는 평서법으로 분류한다. 아래 예문을 보자.

- 이걸 좀 들어 주겠니? (완곡한 명령을 표현하는 의문문이다.)
- 저리 비켜 주시기 바랍니다. (완곡한 명령을 표현하는 평서문이다.)

○ 청유법

상대방 또는 독자에게 권하거나 부탁하는 태도를 나타내는 서법이다. 높임의 수준에 따라서 어미가 달라진다.

- 함께 가자.
- 이따 영화 보러 가세.
- 빨리 갑시다.

◦ 감탄법

상대방이나 독자를 의식하지 않고 독백처럼 자기의 느낌을 표현하는 서법이다. 서술어 뒤에 느낌표를 붙이기도 하고 안 붙이기도 한다.

- 네가 이 일을 해냈구나!
- 우리 금수강산 참으로 아름답도다!

의상대 해돋이

조종현

천지개벽이야!
눈이 번쩍 뜨인다

불덩이가 솟는구나
가슴이 용솟음친다

여보게,
저것 좀 보아!
후끈하지 않는가

이 시에는 평서법 문장, 명령법 문장, 의문법 문장, 감탄법 문장이 두루 섞여 있다. 이 중에서 명령법 문장인 "저것 좀 보아!"에 느낌표를 붙여 감탄문으로 바꿔 놓았고, 의문법 문장인 "후끈하지 않는가"는 물음표가 없어서 마치 평서문처럼 보인다. 서법이 원래 화자의 감정을 표현하는 수단이기 때문에 시인이 감탄의 느낌을 주고 싶다면 명령문에도 느낌표를 붙여 감탄문으로 바꿀 수 있고, 의문문에도 물음표를 넣지 않음으로써 의문의 느낌을 지우고 상대의 동의를 전제로 하는 평서문으로 바꿀 수 있다. 물론 평서문에 느낌표를 붙여 감탄문으로 바꿀 수도 있다. 그러므로 서법에 고유한 어미가 있어서 그것이 절대적이라고 생각할 필요는 없다는 점을 이해해야 한다.

삼남三南에 내리는 눈

황동규

봉준이가 운다. 무식하게 무식하게
일자무식하게, 아 한문만 알았던들
부드럽게 우는 법만 알았던들
왕 뒤에 큰 왕이 있고
큰 왕의 채찍!
마패 없이 거듭 국경을 넘는

저 보마(步馬)의 겨울 안개 아래
부챗살로 갈라지는 땅들
포(砲)들이 얼굴 망가진 아이들처럼 울어
찬 눈에 홀로 볼 비빌 것을 알았던들
계룡산에 들어 조용히 밭에 목매었으련만
목매었으련만, 대국 낫도 왜 낫도 잘 들었으련만,
눈이 내린다, 우리가 무심히 건너는 돌다리에
형제의 아버지가 남몰래 앓는 초가 그늘에
귀 기울여 보아라, 눈이 내린다, 무심히,
갑갑하게 내려앉은 하늘 아래
무식하게 무식하게.

이 시는 시어들을 해석하면서 심미적으로 감상하는 것 외에 문장부호를 지렛대로 삼아 문법적으로 감상해야 할 것들이 있는 것 같다. 시인은 '채찍' 뒤에 느낌표를 붙였고, 마침표를 찍어야 할 곳에 쉼표를 찍었으며, 문장을 완성하지 않고 다음 문장으로 진행했다. 그 이유는 무엇일까? 시인은 어쩌면 전봉준처럼 '무식하게' 시를 짓고 싶었을지도 모른다. 서법은 화자의 마음 상태를 드러내기 위한 방편이니까.

3장

겹문장

홑문장과 겹문장

주어와 서술어가 한 번 관계하여 만들어진 문장을 홑문장이라고 한다. 그리고 두 개 이상의 주어와 서술어가 서로 관계하여 두 개 이상의 절이 되어 한 문장 안에 있는 것을 겹문장 또는 복문이라고 부른다. 홑문장과 겹문장의 예를 들어 보자.

- 홑문장: 하늘이 푸르다. 나는 그림을 그린다. 나는 가수가 되고 싶다.
- 겹문장1: 몸이 아픈 사람은 집에서 쉬어야 한다.
- 겹문장2: 밖에는 비가 내리고 바람이 분다.
- 겹문장3: 겨울이 되면 눈이 많이 내린다.

홑문장은 주어와 서술어가 한 번 호응한다. '주어+서술어' 형태의 문장이나, '주어+목적어+서술어' 형태의 문장이나, '주어+보어+서술어' 형태의 문장이나 모두 홑문장이다. 우리가 문장 형식으로 한 자리 서술어 문장, 두 자리 서술어 문장, 세 자리 서술어 문장을 이야기할 때 그 문장이 바로 홑문장을 기준으로 하는 말이다.
주어와 서술어 사이에 단순한 수식적 요소가 들어가도 모두 홑문장이다. 이에 비해서 겹문장은 주어와 서술어 관계가 최소한 두 번 이상 나타난다. 겹문장1은 '몸이 아픈'에서 주어와 서술어 관계가 한 번 나타났고, '사람은 쉬어야 한다'에서 또 한 번 나타났다. 겹문장2와 겹문장3에도 주어와 서술어 관계가 두 번 나타났다.

그런데 위 겹문장의 세 형태를 비교해 보면 차이가 있다. 겹문장1은 '몸이 아픈'이 '사람'을 꾸미기 때문에 주어를 꾸미는 관형어가 되어 있는 상태이다. 즉 하나의 문장이 전체 문장의 한 성분으로 포함된 상태인 것이다. 이런 문장을 안은문장이라고 부르고, 성분으로 포함되어 있는 문장을 안긴문장이라고 부른다.

이에 비해 겹문장2와 겹문장3은 두 문장이 따로 구성되어 있으면서 서로 이어져 있다. 그래서 이런 문장을 이어진문장이라고 부른다. 그런데 겹문장2는 두 문장이 서로 대등하게 독립적으로 존재한다. 앞뒤 문장이 서로 아무 관계도 없는 것이다. 이런 문장을 특별히 대등적 이어진문장이라고 부른다. 이에 비해서 겹문장3은 앞 문장이 조건이 되고 뒤 문장이 결과가 되는 관계이다. 앞뒤 두 문장이 서로 영향을 미치며 공생하는 관계를 가진다. 이런 문장을 종속적 이어진문장이라고 부르고 조건이나 근거 또는 전제가 되는 앞 문장을 종속절, 뒤 문장을 주절이라고 부른다.

겹문장은 문장의 성분에 해당하는 대상을 구체적으로 묘사하거나 설명할 때, 또는 다양한 생각을 논리적으로 결합할 때 아주 유용하게 사용된다. 일상적인 문장은 대개 겹문장으로 된 것이 많다. 따라서 겹문장을 잘 구사하는 능력을 갖추는 것이 국어 능력을 높이는 데 매우 중요하다. 겹문장의 종류별로 구체적인 특징을 살펴보자.

안은문장과 안긴문장

하나의 문장 안에 또 하나의 문장이 전체 문장의 한 성분으로 들어 있는 경우에 전체 문장을 안은문장이라고 하고 안은문장에 포함되어 있는 문장을 안긴문장이라고 한다.
안긴문장은 안은문장의 한 성분으로서 체언 기능을 하기도 하고 관형어 기능을 하기도 하고 부사어 기능을 하기도 한다. 체언 기능을 하는 안긴문장을 명사절이라고 부르고, 관형사 기능을 하는 안긴문장을 관형절이라고 부르며, 부사 기능을 하는 안긴문장을 부사절이라고 부른다. 특이하게 서술어 기능을 하는 안긴문장도 있는데 이를 서술절이라고 부른다. 네 가지 안긴문장의 형태를 본 뒤에 안은문장의 맛을 음미해 보자.

- 안은문장1: 화를 참기가 어려웠다. (명사절)
- 안은문장2: 엄마가 준 용돈으로 옷을 샀다. (관형절)
- 안은문장3: 손목이 시큰하게 일했다. (부사절)
- 안은문장4: 나는 기분이 좋다. (서술절)

안은문장1에서는 '(나는) 화를 참다'의 서술어 '참다'에 명사형 전성어미 '-기'를 붙여서 명사처럼 만들어 주어가 되게 했다. 이런 형태를 명사절이라고 한다. 명사절을 만드는 어미로 '-기'와 '-ㅁ/-음'이 있다. 명사절은 주어뿐 아니라 목적어로도 쓰인다.
안은문장2에서는 '엄마가 주다'의 서술어 '주다'에 관형사형 전성어미 '-ㄴ'을 붙여서 관형사처럼 '용돈'을 꾸밀 수 있게 만들었다. 이런 형태를 관형절이라고 한다. 관형절을 만드는 데 사용되는 어미에는 '-ㄴ/-은, -ㄹ/-을' 따위가 있다.
안은문장3에서는 '손목이 시큰하다'의 서술어 '시큰하다'에 부사형 전성어미 '-게'를 붙여서 부사처럼 '일했다'를 꾸밀 수 있게 만들었다. 이런 형태를 부사절이라고 한다. 부사절을 만드는 데 사용되는 어미에는 '-게, -도록' 따위가 있다.
안은문장4에서는 '기분이 좋다'가 통째로 서술어 기능을 수행한다. 서술절에 주어와 서술어가 들어 있는 특이한 구조가 국어의 특징이라는 점도 알아 두면 좋겠다. '그는 키가 크다, 나는 여름이 싫다, 나는 네가 좋다' 같은 문장도 서술절을 품고 있는 안은문장이다.

목련꽃 낙화

나태주

너 내게서 떠나는 날
꽃이 피는 날이었으면 좋겠네

꽃 가운데서도 목련꽃
하늘과 땅 위에 새하얀 꽃등
밝히듯 피어오른 그런
봄날이었으면 좋겠네

너 내게서 떠나는 날
나 울지 않았으면 좋겠네
잘 갔다 오라고 다녀오라고
하루치기 여행을 떠나는 사람
가볍게 손 흔들듯 그렇게
떠나보냈으면 좋겠네

그렇다 해도 정말
마음속에서는 너도 모르게
꽃이 지고 있겠지
새하얀 목련꽃 흐득흐득
울음 삼키듯 땅바닥으로
떨어져 내려앉겠지.

이 시는 이별하는 날이 어떤 날이 되기를 바란다는 소망을 통해서 자신의 마음을 표현하고 있다. 그리고 그 소망을 '날'을 수식하는 관형절로 나타냈다.

- 꽃이 피는 날
- 꽃 가운데서도 목련꽃 하늘과 땅 위에 새하얀 꽃등 밝히듯 피어오른 그런 봄날

이 연의 중심 문장은 '이별하는 날이 꽃 피는 봄날이었으면 좋겠다'인데 그 꽃이 어떤 꽃이고 어떤 봄날인지 관형절로 설명한 것이다. 관형절을 잘 구성하는 것이 시를 아름답게 만드는 길이다.
다음으로 떠나보내는 모습을 표현하기 위하여 '그렇게 떠나보냈으면 좋겠다'의 '그렇게' 부분을 구상하여 부사절로 만들었다.

- 잘 갔다 오라고 다녀오라고 하루치기 여행을 떠나는 사람 가볍게 손 흔들듯

이 부사절의 어순을 정상적으로 바꾸고 생략된 조사를 넣어 구성하면 아래와 같다.

- 하루치기 여행을 떠나는 사람에게 잘 갔다 오라고 다녀오라고 가볍게 손 흔들듯이

이처럼 부사절을 잘 꾸미면 부사절로 자기의 생각을 표현할 수 있다. 어찌 보면 시를 짓는 일은 체언과 용언을 어떻게 꾸

미는지의 문제임을 알 수 있다. 따라서 잘 쓴 시는 관형절과 부사절을 적절히 잘 사용한 시라고 말해도 과언이 아니다.
이 시에는 아래와 같이 관형절과 부사절이 더 있다. 아래에서 그것을 확인하고 관형절과 부사절의 형태를 익히기 바란다. 관형절과 부사절을 안긴문장이라고 부른다는 것은 이미 설명한 바와 같다.

관형절

- 내게서 떠나는 날
- 꽃이 피는 날
- 목련꽃 피어오른 봄날
- 여행을 떠나는 사람

부사절

- 꽃등 밝히듯 피어오른
- 손 흔들듯 떠나보냈으면
- 너도 모르게 꽃이 지고
- 흐득흐득 울음 삼키듯 떨어져

이어진문장

이어진문장은 두 개의 문장을 연결어미로 이어 놓은 문장을 가리킨다. 홑문장을 줄곧 나열하면 숨이 자주 끊기기 때문에 문장 간의 긴밀성이 떨어지게 된다. 이를 방지하기 위하여 두세 문장을 죽 이어서 말하는 경우가 생긴다. 이렇게 해서 만들어지는 문장이 이어진문장이다.
이어진문장은 앞에 하나의 문장이 나오고 뒤에 다른 문장이 나오는데 이 두 문장 사이에 연결어미가 이음쇠 구실을 한다. 이 이음쇠 덕에 두세 문장이 마치 하나의 문장처럼 인식되어 문장 간의 긴밀성을 유지할 수 있다.

○ 대등적 이어진문장

앞뒤로 연결된 두세 문장이 서로 아무 관련이 없이 독립적으로 이어진문장을 가리킨다. 앞뒤 문장이 서로 인과관계나 선후관계로 영향을 주지 않고 이어진 문장이다.

- 산은 높고 바다는 깊다. 비는 오고 바람은 불고 기온은 몹시 차다.

- 아버지는 부지런했으며 자녀들은 아주 착했다.
- 비는 내리나 바람은 불지 않는다.

위 예문의 앞뒤 문장을 비교해 보자. '산이 높은 것과 바다가 깊은 것' 사이에는 아무 관계가 없다. 또 '아버지가 부지런한 것과 자녀들이 착한 것' 사이에도 직접 어떤 관계를 설정하기 어렵다. 마찬가지로 '비가 내리는 것'과 '바람이 불지 않는 것' 사이에도 어떤 관련을 생각하기 어렵다. 이처럼 서로 영향을 주고받지 않는 내용의 두 문장을 한 문장으로 이어 놓은 것이 대등적 이어진문장이다.

◦ 종속적 이어진문장

앞뒤로 이어진 두 문장 사이에 선후관계나 인과관계를 설정할 수 있는 경우에 앞 문장을 뒤 문장에 종속되어 있다고 하여 종속적 이어진문장이라고 부른다. 앞 문장의 일이 일어난 뒤 그 결과로 뒤 문장의 일이 일어나는 경우나, 앞 문장이 뒤 문장의 조건이나 이유, 근거가 될 때 종속적 이어진문장을 만들게 된다.

- 내가 부르자 그가 벌떡 일어섰다.
- 그가 부르니 내가 달려갔어.
- 산이 좋아서 산에서 산다.

• 네가 가라면 내가 가겠다.

위 예문을 보면 한결같이 앞뒤 두 문장이 서로 어떤 관계를 맺고 있음을 알 수 있다. '내가 부른 것과 그가 일어선 것' 사이에 관계가 있고, '그가 부른 것과 내가 달려간 것' 사이에 관계가 있다. 또 '산이 좋은 것과 산에서 사는 것' 사이에도 관계가 있다. 그런 관계에 따라서 밑줄 친 어미가 달라짐을 알 수 있다. 마지막 예문은 조건을 나타낸다. 앞 문장이 조건을 제시하고 뒤 문장이 그에 따른 의지를 제시하도록 어미를 사용했다. 한국어의 논리적 구성은 바로 종속적 이어진문장을 얼마나 잘 구성하느냐에 달려 있다고 해도 과언이 아니다.

그날이 오면

심훈

그날이 오면 그날이 오면은
삼각산(三角山)이 일어나 더덩실 춤이라도 추고
한강 물이 뒤집혀 용솟음칠 그날이
이 목숨이 끊기기 전에 와 주기만 할 양이면
나는 밤하늘에 나는 까마귀와 같이
종로(鐘路)의 인경(人磬)을 머리로 들이받아 울리오리다.
두개골은 깨어져 산산조각이 나도

기뻐서 죽사오매 오히려 무슨 한(恨)이 남으오리까.

그날이 와서 오오 그날이 와서
육조(六曹) 앞 넓은 길을 울며 뛰며 뒹굴어도
그래도 넘치는 기쁨에 가슴이 미어질 듯하거든
드는 칼로 이 몸의 가죽이라도 벗겨서
커다란 북[鼓]을 만들어 들쳐 메고는
여러분의 행렬(行列)에 앞장을 서오리다.
우렁찬 그 소리를 한 번이라도 듣기만 하면
그 자리에 거꾸러져도 눈을 감겠소이다.

우리 겨레가 질곡의 고통 속에서 오로지 해방의 날을 기다리던 때에 시인이 간절한 소원을 읊은 시이다. 우리에게 그런 간절함을 느끼게 해 주는 것은 이어진문장을 적절히 구사한 덕이다.

- 삼각산이 일어나 더덩실 춤이라도 추고 한강 물이 뒤집혀 용솟음칠 (대등적 이어진문장)
- 두개골은 깨어져 산산조각이 나도 기뻐서 죽사오매 오히려 무슨 한이 남으오리까. (종속적 이어진문장)
- 그날이 이 목숨이 끊기기 전에 와 주기만 할 양이면 나는 밤하늘에 나는 까마귀와 같이 종로의 인경을 머리로 들이받아 울리오리다. (종속적 이어진문장)

- 그날이 와서 오오 그날이 와서 육조 앞 넓은 길을 울며 뛰며 뒹굴어도 그래도 넘치는 기쁨에 가슴이 미어질 듯하거든 드는 칼로 이 몸의 가죽이라도 벗겨서 커다란 북을 만들어 들쳐 메고는 여러분의 행렬에 앞장을 서오리다. (종속적 이어진문장과 대등적 이어진문장이 혼합됨)
- 우렁찬 그 소리를 한 번이라도 듣기만 하면 그 자리에 거꾸러져도 눈을 감겠소이다. (종속적 이어진문장)

이 시는 종속적 이어진문장과 대등적 이어진문장이 혼합되어 강렬하게 해방의 날을 염원하는 마음이 표출되어 있다. 복잡하고 많은 생각과 감정을 표현하는 데는 이어진문장만큼 유용한 문장이 없다.

어느 날 고궁古宮을 나오면서

김수영

왜 나는 조그만 일에만 분개하는가.
저 왕궁(王宮) 대신에 왕궁(王宮)의 음탕 대신에
50원짜리 갈비가 기름 덩어리만 나왔다고 분개하고
옹졸하게 분개하고 설렁탕집 돼지 같은 주인년한테 욕을 하고
옹졸하게 욕을 하고

한번 정정당당하게
붙잡혀 간 소설가를 위하여
언론의 자유를 요구하고 월남(越南) 파병(派兵)에 반대하는
자유를 이행하지 못하고
20원을 받으러 세 번씩 네 번씩
찾아오는 야경꾼들만 증오하고 있는가.

옹졸한 나의 전통은 유구하고 이제 내 앞에 정서로
가로놓여 있다.
이를테면 이런 일이 있었다.
부산에 포로수용소의 제14 야전 병원에 있을 때
정보원이 너스들과 스펀지를 만들고 거즈를
개키고 있는 나를 보고 포로 경찰이 되지 않는다고
남자가 뭐 이런 일을 하느냐고 놀린 일이 있었다.
너스들 옆에서

지금도 내가 반항하고 있는 것은 이 스펀지 만들기와
거즈 접고 있는 일과 조금도 다름없다.
개의 울음소리를 듣고 그 비명에 지고
머리에 피도 안 마른 애놈의 투정에 진다.
떨어지는 은행나무 잎도 내가 밟고 가는 가시밭

아무래도 나는 비켜서 있다. 절정(絶頂) 위에는 서 있지
않고 암만해도 조금쯤 옆으로 비켜서 있다.
그리고 조금쯤 옆에 서 있는 것이 조금쯤
비겁한 것이라고 알고 있다!

그러니까 이렇게 옹졸하게 반항한다.
이발쟁이에게
땅 주인에게는 못 하고 이발쟁이에게
구청 직원에게는 못 하고 동회 직원에게도 못 하고
야경꾼에게 20원 때문에 10원 때문에 1원 때문에
우습지 않느냐 1원 때문에

모래야 나는 얼마큼 작으냐.
바람아 먼지야 풀아 난 얼마큼 작으냐.
정말 얼마큼 작으냐…….

시인은 분개해야 한다고 생각하는 중요한 일에는 분개하지 않고, 그 대신 관대하게 넘어갈 만한 사소한 일에만 분개하는 자신을 대비시킴으로써 뜻은 크지만 행동에는 소심한 지식인의 한계를 한탄하고 있다. 우리는 대체로 이런 사람이 아닐까. 그런 점에서 이 시가 우리를 일깨우는 힘이 있다. 그리고 그 힘은 이 글의 대등적 이어진문장의 다양함에서 비롯된다.

사소한 것에 분개하는 모습을 다양하게 보여 주기 위해서 대등적 이어진문장을 끊임없이 선보이는 방법을 사용한 것이 이 시 구성의 핵심이다. 대등적 이어진문장이 연속적으로 나와 우리가 흔히 분개하는 사소한 일의 예를 잘 드러낸다. 그리고 그것들은 모두가 경험했음직한 사소한 분개에 해당한다. 시인이 대등적 이어진문장을 선택한 것은 탁월하다.

4장

문법 뛰어넘기, 파격

낮은 단계의 파격, 생략

격식을 깨뜨리는 행위를 파격이라고 한다. 그런데 여기서 말하는 파격은 문법을 나쁜 쪽으로 깨뜨리는 것이 아님을 이해해야 한다. 기존의 틀로는 감당이 되지 않아서 새로운 틀을 만들어 보기 위한 것이기 때문에 어떤 의미에서 보면 기존의 틀을 깬 것이 더 신선하고 좋아 보이는 것이다. 만일 문법을 모르는 사람이 문법의 틀을 깼다면 비문이라고 말하면서 고쳐주려고 나설 것이나 문법을 익히 아는 사람이 문법의 틀을 깼다면 그는 분명히 기존의 틀로는 생각이나 감정을 오롯이 표현할 수 없어서 파격을 택했다고 볼 수 있다.

문법 요소를 생략하는 것은 지극히 낮은 단계의 파격이라고 말할 수 있다. 문장에는 성분과 기능에 맞게 조사와 어미를 붙이고 문장 구성 원리에 맞게 각 성분을 제시해야 하지만 이런저런 이유로 조사나 어미 또는 문장성분을 생략하는 일이 자주 일어난다. 그것을 생략해도 사람들이 이해하고 문장을 읽을 수 있기 때문이다. 때로는 생략이 문장을 더 강력하게 만들거나 신선하게 해 주기도 한다. 주격조사, 목적격조사 등을 생략하는 경우는 너무 자주 나타나므로 여기서는 서술격조사의 생략과 문장성분의 생략에 대해 간단히 소개하고자 한다.

○ 서술격조사의 생략

서술격조사 '이다'와 그 활용형을 생략하는 경우도 시에서는 자주 나타난다. 이를 생략하는 것이 시를 더 깔끔하게 만드는 경우가 있기 때문이다.

그리움

박경리

그리움은
가지 끝에 돋아난
사월의 새순

그리움은
여름밤 가로수 흔들며
지나가는 바람 소리

그리움은
길가에 쭈그리고 앉은
우수의 나그네

훍 털고 일어나서

흐린 눈동자 구름 보며
터벅터벅 걸어가는
나그네 뒷모습

이 시는 서술격조사를 생략함으로써 간결성과 시적 여백을 확보했다. 이 시에 서술격조사를 문법에 따라서 붙였다면 종결형에 '다'와 '이다'가 반복해서 나타났을 것이다.

◦ 주어 생략

아래 시의 일부 문장에는 주어가 없다. 첫 연 첫 행부터 주어가 없다. 둘째 연의 첫 문장에도 주어가 없다. 주어가 무엇일지 생각해 보자.

가을

강은교

기쁨을 따라갔네
작은 오두막이었네
슬픔과 둘이 살고 있었네
슬픔이 집을 비울 때는 기쁨이 집을 지킨다고 하였네
어느 하루 찬바람 불던 날 살짝 가 보았네

작은 마당에는 붉은 감 매달린 나무 한 그루 서성서성 눈물을 줍고 있었고
뒤에 있던 산, 날개를 펴고 있었네

산이 말했네

어서 가 보게, 그대의 집으로……

첫 연 첫 행의 주어는 '나는'이 될 것 같다. 그러나 둘째 행의 주어는 '나는'이 될 수 없다. '기쁨의 집은'이 주어가 될 수 있을 것 같다. 다섯째 행의 주어도 '나는'이 아닐까 생각한다. 여기서 '나'가 누구일지 궁금하다. 아마 기쁨만을 추구하는 사람이 '나'일 가능성이 크다.
주어가 나타나지 않은 문장은 가끔 우리를 당혹케 한다. 이 시도 그런 점이 없지 않다. 다만, 시를 거듭 읽어 보면 주어를 굳이 넣지 않아도 좋겠다는 생각을 하게 될 것이다. 주어 없는 문장이 때로는 더 강렬한 느낌을 줄 수 있다는 점을 이 시가 가르쳐 주고 있다.
이 시의 서사는 우리에게 격언으로 작용할 만한 의미를 내포하고 있다. 주인공인 '나'는 슬픔이 집을 비우고 기쁨이 집을 지키고 있을 때에 그의 집을 찾아갔는데 놀랍게도 붉은 감을 매단 감나무가 눈물을 줍고 있고 그 뒤에 있던 산이 나더러 집으로 돌아가라고 한다. 이 시의 주제문은 '산이 말했네. 어

서 가 보게, 그대의 집으로.'일 것 같다. 풍성한 가을은 곧 다가올 겨울을 준비하고 있다. 다른 곳에서 기쁨을 찾지 말고 슬픔이건 기쁨이건 세상의 일에 휩쓸리지 말고 자신의 일에 충실함이 옳은 일이 아닌가?

이 시에서 이 정도의 의미를 찾을 수 있을 것 같다. 이것은 어디까지나 나의 주관적인 감상평임을 이해해 주기 바란다. 어쨌든 우리는 이 시가 주는 여백에서 각자 이런저런 상상을 할 수 있다. 그리고 그것은 언제나 교훈적이다. 그래서 이 시가 좋다. 시가 이런 상상을 하게 해 주는 이유는 시가 맥락을 갖추고 있기 때문이다. 그 맥락이란 독자가 문장으로 재구성할 수 있는 문법이다. 그래서 좋은 시를 쓰려면 먼저 문장 구성에 관한 확실한 기본 실력을 갖추고 있어야 한다.

◦ 주어와 서술격조사의 생략

아래 시는 문장성분이라고 할 것이 없다. 시 제목이 '행복'이기 때문에 우리는 주어를 '행복'으로 삼을 수 있고, 그렇게 되면 이 시에 서술격조사 '이다'가 생략된 것으로 볼 수 있다.

행복

나태주

저녁때
돌아갈 집이 있다는 것

힘들 때
마음속으로 생각할 사람 있다는 것

외로울 때
혼자서 부를 노래 있다는 것.

이 시에는 문장이 아예 없지만 우리가 이 시를 이해하고 멋지다고 느끼고 좋아하는 이유는 제목에 적힌 행복의 이유를 세 가지로 나눠서 제시하면서 서술격조사를 생략하고 '있다는 것' 같은 구문을 구성했기 때문이다. 시인이 준 재료를 이용해서 독자는 각자의 문장을 완성할 수 있다. 이런 멋진 과제를 독자에게 준 작가의 솜씨가 놀랍다.

어순 뒤바꾸기

어순 뒤바꾸기란 문장성분의 배열 어순을 지키지 않고 그 어순을 벗어나는 문장을 구성하는 기법을 가리킨다. 한국어는 격조사만 제대로 붙이면 어순에 상관없이 조사에 따라서 문법 기능을 수행할 수 있다. 그래서 목적어가 어디에 있든 목적격조사를 사용하면 목적어로 인식된다. 부사격조사가 사용된 것이면 그것이 어디에 있건 서술어를 수식하는 부사어로 인식된다. 따라서 한국어에서 어순은 절대적이지 않다. 다만, 주어가 문장의 맨 앞에 오고, 서술어가 문장의 맨 뒤에 오고, 목적어나 보어가 서술어 앞에 오고, 수식어가 수식을 받는 단어 앞에 오는 어순은 좀처럼 바뀌지 않는다.
그런데 시에서는 이런 어순을 수시로 바꿔 변화를 꾀한다. 대체로 글의 분위기를 바꾸거나 문장의 어떤 요소를 강조하고자 할 때 어순을 바꾸게 되는데 이를 도치법이라고 한다.

산속에서

나희덕

길을 잃어 보지 않은 사람은 모르리라
터덜거리며 걸어간 길 끝에
멀리서 밝혀져 오는 불빛의 따뜻함을

막무가내의 어둠 속에서
누군가 맞잡을 손이 있다는 것이
인간에 대한 얼마나 새로운 발견인지

산속에서 밤을 맞아 본 사람은 알리라
그 산에 갇힌 작은 지붕들이
거대한 산줄기보다
얼마나 큰 힘으로 어깨를 감싸 주는지

먼 곳의 불빛은
나그네를 쉬게 하는 것이 아니라
계속 걸어갈 수 있게 해 준다는 것을

이 시의 주제는 무엇을 경험한 사람 또는 무엇을 아는 사람이 깨달은 내용을 전달하는 것이다. 그래서 '이것을 경험하지 않은 사람은 모르리라'와 '이것을 경험한 사람은 알리라'를 앞에 제시하고 모르는 것과 아는 것에 해당하는 목적어를 뒤로 배치한 도치법을 사용했다. 목적어를 강조하기 위한 어순 바꾸기이다.

황홀한 모순

조병화

사랑한다는 것은 사랑하는 사람에게
먼 훗날, 슬픔을 주는 것을, 이 나이에

사랑한다는 것은 사랑하는 사람에게
오히려 기쁨보다는
슬픔이라는 무거운 훗날을 주는 것을, 이 나이에

아, 사랑도 헤어짐이 있는 것을
알면서도 사랑한다는 것은
씻어 낼 수 없는 눈물인 것을, 이 나이에

사랑하면 사랑할수록
헤어짐은 이루 말할 수 없는 적막

그 적막을 이겨낼 수 있는 슬픔을 기르며

나는 사랑한다, 이 나이에

사랑은 슬픔을 기르는 것을
사랑은 그 마지막 적막을 기르는 것을.

이 시는 이중의 파격을 보인다. 이 시의 주제는 '이 나이에' 사랑의 모순을 깨달았다는 것이다. 시인은 그가 깨달은 모순을 6연으로 설명했는데 제5연 외에는 모두 서술어를 생략한 불완전한 문장을 사용했다. 그리고 불완전한 문장에서 생략된 서술어를 수식할 부사어를 끝에 두었다. 각 연에 있는 '것을' 뒤에 서술어를 둔다면 '알았다'가 되지 않을까. 그렇다면 '이 나이에' 그것을 알았다는 뜻이 되어 서술어 '알았다'와 부사어 '이 나이에'가 도치된 것으로 보기에 무리가 없을 것이다. 이렇게 이중의 파격을 택한 이유는 '것을 알았다'를 반복하고 싶지 않아서였을 것이다. 그리고 이런 황홀한 모순을 알게 된 나이를 강조하기 위해서 '이 나이에'를 맨 뒤에 놓는 파격을 감행한 것이다.

불완전의 멋

문장의 틀을 벗어나고자 하는 시인들은 문장을 구성하지 않고도 자신의 시상을 독자에게 전달할 수 있다. 그런 파격을 신선하게 보아 주는 것이 바로 시라는 장르일 것이다.
아래 시는 문장을 구성하려는 의지를 보이지 않는다. 문장을 구성하지 않고 관형어와 체언으로만 이루어진 구성을 보인다. 관형어로 시인의 시상을 표현하려는 의도를 가지고 지은 시이다.

원추리 꽃

이현옥

세월 멈추고
추억 멈춘
빈 집
주인 대신 집 지키는
수항리 원추리 꽃
자꾸만 야위는 목

길어지는 기다림

문장을 이루지 않고 단어만 툭툭 적어 놓아도 시가 될 수 있다는 것은 앞에서 〈청노루〉를 설명하면서 이야기한 바 있다. 이 시는 구와 절을 툭툭 적어 놓았지만 문장을 구성할 수는 있게 되어 있다. 그 문장이 시인이 생각한 문장이 아닐 수도 있지만 독자는 자기 나름대로 문장을 구성할 수 있는 것이다. 여기서 시의 여백이라고 할 만한 것을 독자들이 느끼게 된다.

이 시의 백미는 마지막 두 행에 적힌 '자꾸만 야위는 목/길어지는 기다림'에 있는 것 같다. 아예 문장을 구성할 생각을 하지 않은 표현이지만 우리는 이것을 다음과 같이 이해하며 읽는다. '목은 자꾸만 야위어지고 기다림도 길어진다.' 원추리꽃이 시드는 안타까움을 이렇게 표현하지 않았을까. 이 시는 문장의 속박을 과감하게 벗어던지고 핵심 단어를 수식하는 것만으로 시상을 드러내는 파격을 감행했다.

금잔디

김소월

잔디,
잔디,

금잔디.
심심산천에 붙는 불은
가신 임 무덤가에 금잔디.
봄이 왔네, 봄빛이 왔네
버드나무 끝에도 실가지에.
봄빛이 왔네, 봄날이 왔네,
심심산천에도 금잔디에.

이 시는 천재 시인 김소월의 시가 아니라면 어린아이의 천진난만한 시쯤으로 치부할 정도로 문법이나 맥락이 어수선하게 표현되었다. 가장 비문법적인 부분은 '심심산천에 붙는 불은 가신 임 무덤가에 금잔디'를 들 수 있다. 주어 '붙는 불은'의 서술어를 찾을 수 없다는 점이 그 이유이다. 이 시를 이미지나 그림처럼 스치면서 이해하지 않는다면 이런 맥락에서 잘못 붙들리고 말 것이다.
보통의 시는 일부 문법 요소를 생략하거나 어순을 바꿔도 맥락을 좇아서 이해하기 어렵지 않지만 이 시는 그런 방법도 무용지물로 만들고 있다. 천재와 바보는 한 끗 차이라는 것을 실감하게 만드는 시라고 해도 지나치지 않을 것 같다. 민요풍의 리듬, 금잔디 이름과 불과 봄의 이미지 겹침, 반복법을 통한 이미지 강화, 점층적인 표현의 강도 변화, 임의 무덤가라는 장소적 특징 등이 어우러져 우리는 약동과 죽음이라는 묘한 대비를 통해서 안타까움과 상실감을 강렬하게 느끼게 된다. 어쩌면 이 시가 이상화의 시 〈빼앗긴 들에도 봄은 오는가〉의 김소월 버전이 아닌지 생각하게 한다.

수록 시 및 출처

이 책에 실린 시는 저작권자에게 직접 또는 저작권을 관리하는 출판사, 한국문학예술저작권협회, 사이에이전시, 한국음악저작권협회를 통해 동의를 얻어 수록한 것입니다. 일부 연락이 닿지 않은 저작권자는 연락이 닿는 대로 저작권법에 따라 조치하겠습니다.

- 강은교, 〈가을〉
- 곽재규, 〈기다림〉
- 김광섭, 〈비 개인 여름 아침〉
- 김동명, 〈달〉
- 김동원, 〈용두 산행〉
- 김목경, 〈어느 60대 노부부의 이야기〉
- 김소월, 〈금잔디〉 〈꿈〉 〈오시는 눈〉
- 김수영, 〈밤〉 〈어느 날 고궁을 나오면서〉
- 김용호, 〈그대가 되기 위해〉
- 김인숙, 〈가을엔〉
- 김종삼, 〈누군가 나에게 물었다〉
- 김종익, 〈그리운 친구〉

- 김춘수, 〈부두에서〉
- 나태주, 〈목련꽃 낙화〉 〈행복〉
- 문덕수, 〈꽃과 언어〉
- 박경리, 〈그리움〉
- 박두진, 〈꽃〉
- 박목월, 〈청노루〉
- 박정만, 〈작은 연가〉
- 변영로, 〈생시에 못 뵈올 님을〉
- 신경림, 〈가난한 사랑 노래〉
- 신달자, 〈나뭇잎 하나〉 〈뒷산〉
- 신동엽, 〈그 사람에게〉
- 심 훈, 〈그날이 오면〉
- 오세철, 〈겨울 비〉
- 오일도, 〈저녁놀〉
- 오태인, 〈구절초〉
- 윤동주, 〈무서운 시간〉
- 윤수천, 〈아름다운 아내〉
- 이 상, 〈꽃나무〉
- 이상화, 〈시인에게〉
- 이정하, 〈내가 웃잖아요〉
- 이현옥, 〈원추리 꽃〉
- 장인성, 〈봄비〉
- 조병화, 〈황홀한 모순〉
- 조종현, 〈의상대 해돋이〉
- 조지훈, 〈낙화〉
- 천상병, 〈내 집〉

- 최영애, 〈비 오는 날의 연가〉
- 한선미, 〈늪에 빠지다〉
- 한용운, 〈사랑〉〈알 수 없어요〉
- 황동규, 〈삼남에 내리는 눈〉

- 김상옥, 〈봉선화〉, 《백자부》, 시인생각
- 나희덕, 〈산속에서〉, 《그 말이 잎을 물들였다》, 창비
- 류시화, 〈눈물〉, 《외눈박이 물고기의 사랑》, 무소의뿔
- 문정희, 〈쓸쓸〉, 《지금 장미를 따라》, 민음사
- 유안진, 〈나는 늘 기다린다〉, 《다보탑을 줍다》, 창비
- 이생진, 〈꿈〉, 《기다림》, 지식을만드는지식
- 정희성, 〈답청〉, 《저문 강에 삽을 씻고》, 창비
- 황규관, 〈낫〉, 《패배는 나의 힘》, 창비

시로 국어 공부 문법편

초판 1쇄 | 2021년 11월 30일
초판 3쇄 | 2023년 5월 9일

지은이 | 남영신
펴낸이 | 정은영
편집 | 최명지, 박지혜
디자인 | 오필민 디자인

펴낸곳 | 마리북스
출판등록 | 제2019-000292호
주소 | (04037) 서울시 마포구 양화로 59 화승리버스텔 503호

전화 | 02) 336-0729
팩스 | 070) 7610-2870
홈페이지 | www.maribooks.com
Email | mari@maribooks.com
인쇄 | (주) 신우인쇄

ISBN 979-11-89943-70-7 (04800)
979-11-89943-69-1 (set)